JUAN

PAPEL MOJADO

Edición a cargo de: Berta Pallares
Ilustraciones: Per Illum

EDICIÓN SIMPLIFICADA PARA
USO ESCOLAR Y AUTOESTUDIO

Esta edición, cuyo vocabulario se ha elegido
entre las palabras españolas más usadas (según
CENTRALA ORDFÖRRÅDET I SPANSKAN
de Gorosch, Pontoppidan-Sjövall y el VOCA-
BULARIO BÁSICO de Arias, Pallares, Alegre),
ha sido resumida y simplificada para satisfacer
las necesidades de los estudiantes de español con
unos conocimientos un tanto avanzados del idio-
ma.

Impreso en Dinamarca por
Sangill Grafisk Produktion, Holme Olstrup

JUAN JOSÉ MILLÁS
(Valencia 1946)

Es uno de los escritores más importantes de la España de hoy y se mueve en la línea de la nueva novela española.

El comienzo de su obra narrativa coincide con el final del realismo social que tanta importancia tuvo en la postguerra española. Aunque los grandes maestros del realismo siguen escribiendo obras importantes y siguen siendo maestros de las nuevas generaciones la generación de Millás va por nuevos caminos.

Y en estos nuevos caminos Millás es un valor sólido. Su obra, todavía no muy extensa, cuenta con el apoyo absoluto tanto del público como de la crítica y dentro de su generación es ya un clásico. Ha mostrado en sus novelas una gran maestría en la composición y en el cuidado manejo del lenguaje. Al lado de esto está su gran originalidad.

Por entre las líneas de sus páginas, de gran belleza y muchas veces de prosa excepcional, pueden adivinarse multitud de registros que revelan un mundo muy original pero muchas veces complejo y desesperado. No es ajeno en su prosa el humor sarcástico, a veces ácido, con un dejo de ternura otras. Esto se explica muy bien desde las coordenadas en las que le ha tocado vivir tanto a Millás como a toda su generación.

Su novela *Cerbero son las sombras* (1975) obtuvo en 1974 el prestigioso premio Sésamo. Otras novelas suyas son: *Visión de ahogado* (1977), *El jardín vacío* (1981), *Letra muerta* (1984) y *Papel mojado* (1983) que es la que ofrecemos aquí.

El título, *Papel mojado,* alude a la frase que en sentido figurado hace referencia a algún documento que por alguna causa ha perdido su valor y al que no se le concede ningún valor ante la ley.

Papel mojado es una novela un poco aparte en la producción de Juan José Millás ya que se trata de una novela policíaca. Pero, por otro lado, no se separa del resto de su narrativa ya que con el crimen y su esclarecimiento se entreteje un problema más hondo: la diferencia entre lo que se quiere ser y lo que se es. La reflexión sobre esta problemática y sus consecuencias son en realidad lo que pone en marcha la acción de la novela. Por entre la búsqueda del asesino se deslizan muchos de los problemas que ha vivido la generación de J.J. Millás, gentes que como los personajes principales del relato están entre los 35 y los 40 años. Los problemas de esta generación aparecen personalizados en los personajes del relato quienes en sus diálogos muestran sus experiencias en reflexiones amargas ante las limitaciones de la vida española de la postguerra. Amargas, irónicas, sarcásticas, con un dejo de tolerancia a veces, las reflexiones dejan también entrever lo difícil que fue en esos años ser intelectual honesto.

La novela no deja en un solo momento el clima de suspenso y en una estructura muy pensada lleva al lector de capítulo en capítulo a la búsqueda de la solución del enigma.

La novela de Millás está dentro de la resurrección del género policíaco que en estos momentos tanta importancia y tantas obras interesantes está dando en España. Un género que no se ha cultivado mucho en las letras españolas y del que Plinio y don Lotario (personajes creados por García Pavón) son los antecedentes, presentados ya en nuestra colección.

UNO

Recuerdo una frase leída en algún sitio y repetida luego hasta la *saciedad*: «Lleva cuidado con lo que deseas en la juventud, porque lo tendrás en la edad madura». Junto a ella aparece otra que fue para los de mi generación tan importante como la primera: «A partir de cierta edad cada hombre es responsable de su rostro». He querido citarlas a propósito de mi amigo Luis Mary, que se las aprendió a una edad terrible, situada entre el final de la *adolescencia* y el principio de lo que luego resultó ser la juventud, y que se las creyó hasta el punto de *convertirlas en* un programa de vida. Si deseó lo correcto, el diablo y él lo sabrán; lo cierto es que a los treinta y cinco tenía el rostro que caracteriza a los habitantes de las *tinieblas*.

Ahora ya no va a ningún sitio ni molesta a nadie con sus amargas quejas acerca de la vida o con sus crueles ironías sobre quienes formamos parte de ella. Está muerto. La semana pasada le *dimos tierra* en el cementerio *civil* con gran disgusto de sus ancianos padres.

Mi amigo Luis Mary era un personaje de novela. Había leído demasiadas historias que le hicieron per-

---

hasta la saciedad, fig., muchas veces, hasta no poder más
adolescencia, edad que sigue a la niñez (de niño); *adolescente*=joven
convertir en, aquí, hacer de ellas su programa
tiniebla, falta de luz; en plural = infierno. En sentido fig. habitante de las tinieblas: diablo
dar tierra = *enterrar,* cubrir de tierra un *cadáver* (= cuerpo muerto); *entierro,* el hecho de enterrar; *cementerio civil* por oposición a católico, lugar donde se entierra entre otros, a los no católicos o a los que se quitan la vida (= *suicida*). Hoy no existe esta diferencia

der el sentido de la realidad; de la otra realidad, mejor dicho, donde *discurre* la vida cotidiana y uno acaba una *carrera,* encuentra trabajo, crea un hogar, tiene hijos, etc. Recuerdo una de nuestras discusiones *favoritas* en los *tiempos de facultad*:

– Necesito vivir así-decía él- para *acumular* experiencias. Quiero ser escritor y los escritores no pueden ser vulgares.

– Tú no quieres ser escritor – le respondía yo –. El que quiere ser escritor soy yo. A ti lo que te gusta es ser un personaje de novela, y hay que elegir entre una cosa y otra, porque no se pueden ejercer las dos al mismo tiempo.

– No, no. Tú eres un tipo muy normal: tu traje, tu *corbata,* tu novia . . . Acabarás haciendo *oposiciones* y serás un buen funcionario. Pero escritor, no. Además, te llamas *García* de apellido.

– Ya veremos, Luis Mary. De todos modos estoy dispuesto a hacerte un favor: si *perfeccionas* tus *modales* como personaje de novela, tal vez te incluya en una de

---

discurrir, aquí transcurrir, pasar, correr
favorita, la preferida, la que más les gustaba
tiempo de *facultad,* tiempos de estudiante; *facultad,* lugar, en las universidades, en el que se hacen los estudios superiores (= *carrera*) y tiempo que estos duran, en general 5 años; se empiezan a los 17 después de los estudios de enseñanza media (= *bachillerato*) que se hacen de los 10 a los 17 años
acumular, juntar
corbata, ver ilustración en página 12
oposición, conjunto de pruebas con las que se demuestran los conocimientos necesarios para obtener un trabajo
García, apellido muy corriente en España y por tanto poco original para un escritor
perfeccionar, mejorar
modales, aquí; modo de obrar y de presentarse ante los demás

las mías cuando sea famoso. Pero has de trabajar más tu aspecto; no *disfrazarte* con esos jerseys y esos zapatos que Dios sabe de dónde los sacas.

En fin, en discusiones así gastábamos nuestro tiempo libre de estudiantes. He de decir que su fracaso fue menor que el mío. No consiguió ser novelista, pero sí llegó a ser un buen personaje de novela. Yo, en cambio, además de no haber logrado nunca escribir más de treinta *folios* seguidos, tampoco conseguí retener junto a mí a la única mujer que he querido, ni encontré un trabajo digno de mis *ambiciones* adolescentes. Eso sí *vivo de la pluma*. Soy *gacetillero* en una de esas revistas que hay en las mesas de todas las peluquerías. Trabajo seis horas diarias y mi trabajo consiste en escribir *inmundos* comentarios a las fotos inmundas que me pasa el redactor jefe. Me llamo Manolo G. Urbina (lo digo completo por si alguien lo reconoce, pues a veces también firmo inmundos artículos sobre *estrellas* de cine y televisión).

Por eso he decidido cumplir la *promesa* que un día le hice a mi amigo Luis Mary: lo voy a meter en una novela; en ésta que ahora mismo, esta tarde de otoño,

---

disfrazarse, aquí: vestirse de manera extraña

folio, ver ilustración en página 31

ambición, deseo fuerte de conseguir algo

vivir de la pluma, ser escritor y poder vivir de lo que gana siéndolo

gacetillero, redactor de la *gacetilla,* parte de un periódico destinada a la noticia corta; también la noticia misma. Aquí, despectivo

inmundo, aquí, despreciable

estrellas, ver nota a *revista del corazón* en pág 116

hacer una promesa, prometer, decir a alguien que se hará una cosa por él o para él

7

comienzo con un *ritmo febril* para que mis vecinos escuchen el *teclear* de la máquina y se enteren por fin de que en el apartamento número siete del tercer piso vive un escritor.

Y la voy a escribir por dos razones:

Primera: porque sospecho que mi amigo Luis Mary no *se suicidó,* sino que fue *asesinado* por alguna razón que me propongo descubrir. Segunda: porque si en *el curso de* esta investigación me llegara a ocurrir algo desagradable, la policía podría encontrar en estos papeles alguna *pista* para *capturar* al doble asesino.

La idea de que mi amigo Luis Mary ha sido asesinado no se basa únicamente en el hecho de que me *apetezca* escribir una novela en la que aparezca él como protagonista (en la medida en que un *cadáver* pueda ser protagonista de algo), sino en algunas *conjeturas* que hice después de su *entierro* aprovechando ciertos datos que él me había *facilitado* en vida.

Hace mes y medio o dos meses, a finales de verano, me lo encontré sentado en una de esas cafeterías caras que hay en el *Paseo de Rosales.* Hacía un año o dos que

---

ritmo febril, aquí: con mucha prisa y con impaciencia; *febril,* de *fiebre,* calor del cuerpo por encima del normal causado por algo
teclear, aquí, ruido que hace el que escribe a máquina al golpear las *teclas,* ver ilustración en pág. 31
suicidarse, quitarse la vida; *asesinar,* matar a alguien
en el curso de, a lo largo de
pista, fig. conjunto de señales que llevan a descubrir algo, aquí a
capturar, detener, al asesino
apetezca de *apetecer,* tener gana
conjetura, lo que se piensa
cadáver, entierro, ver nota a *dar tierra* en pág. 5
facilitar, dar
Paseo de Rosales, una calle amplia de Madrid

no nos veíamos. Después de acabar nuestros estudios mantuvimos *intacta* durante algún tiempo nuestra amistad, pero como es frecuente en personalidades tan distintas, las circunstancias nos fueron alejando. Yo he sido un hombre de pocos *recursos* y de poca imaginación y pronto tuve que comenzar a *buscarme la vida*. Luis Mary, más *ingenioso* que yo y también más hábil para resolver las cuestiones *cotidianas,* comenzó entonces, como veremos, a buscarse la muerte. De manera que nada sabía de él, excepto por referencias vagas de amigos comunes que tan pronto decían que se había ido a vivir a Marruecos con una pintora, como que estaba en Barcelona apartado de todo y entregado a la *tarea* de escribir una obra maestra. Total, que su existencia no dejaba de ser una amenaza para mí, pues de un tipo como él podía esperarse cualquier cosa, incluso que en un momento dado escribiera una buena novela.

Si embargo, ese día de finales de verano Luis Mary estaba en Madrid, sentado en una terraza, como digo, *apurando* un gin-tónic y *vigilando* el *portal* de una casa cercana.

Confieso que su aspecto no me gustó nada y que eso me produjo una cierta alegría que me cuidé muy bien

---

intacto, entero, sin cambios
recursos, aquí: posibilidades económicas
buscarse la vida, trabajar para vivir
ingenioso, con imaginación e inteligencia
cotidiano, de cada día
tarea, trabajo, quehacer
apurar, beber para terminar, estar a punto de terminar lo que se bebe
vigilar, mirar con mucha atención
portal, ver ilustración en página 12

de confesarme. A pesar del calor, llevaba unos pantalones de *pana* descoloridos y una camisa negra, de seda quizá, que le estaba demasiado pequeña para ser suya. El pañuelo rojo que llevaba al cuello era el *remate* más infame que se pueda imaginar a la *indumentaria* descrita, de no ser por los *botines* que calzaba y que posiblemente habían sido de *ante* negro en algún tiempo; más tarde advertí que debajo de uno de ellos – el derecho, creo – no había calcetín.

Yo iba con un traje nuevo, que había sido un éxito en la redacción de la revista. Era de *color gabardina* y tenía un *corte* perfecto, como de periodista ocupado y triunfante. Me coloqué el *nudo* de la corbata y me acerqué a la mesa de mi amigo dispuesto a recomendarle un sastre y un peluquero.

– Buenas tardes, Luis Mary.

Advertí que se había asustado más de lo debido, aunque yo intenté sorprenderle. Reaccionó enseguida.

– Buenas tardes, Manolo Ge Urbina. Siéntate si no estás en *trance* de escribir el *reportaje* de tu vida y tomemos una copa.

Que me llamara Manolo Ge Urbina me *humilló,*

---

pana, tela gruesa

remate, el final de algo; aquí: lo que completa el conjunto de la ropa (= *indumentaria)* que viste L.M.

botines, nudo, ver ilustración en pág. 12

ante o *anta,* animal de cuya piel se hacen zapatos, chaquetas etc.; piel de algunos animales preparada como la del ante

gabardina, aquí color beige. Ver ilustración en pág. 88

corte, de cortar las partes que forman un traje. Aquí: el traje estaba muy bien hecho

trance, momento muy importante

reportaje, trabajo periodístico de carácter informativo

humillar, ver nota en pág. 85

pues significaba que mis inmundos artículos y que mi modo de firmar le había demostrado algo que sospechaba desde hacía años: que llamándome García (y *avergonzándome* de ello sobre todo) no podía tener ningún futuro brillante. Creo que me puse algo rojo. Luis Mary se rió:

– No te preocupes, hombre; hay apellidos peores para esta profesión tuya. Si te llamaras Campuzano, por ejemplo, a lo más que podrías *aspirar* sería a dirigir un *folleto* religioso o comercial escrito al dictado de tus jefes. Además, Campuzano *rima* con algunas palabras peligrosas y eso te expondría a mil *chascarrillos* desagradables.

– Pues tú tampoco puedes *presumir* de apellido – dije tras pedir al camarero un té caliente para quitarme la sed.

– ¿Cómo que no, Manolo Ge? Ruiz es un apellido precioso. Además los que nos llamamos Ruiz tenemos la habilidad *innata* de encontrar seudónimos alternativos de gran prestigio: *Azorín, Picasso.* ¿Sigues en esa *infame* revista?

---

avergonzarse, sentir vergüenza
aspirar, pretender hacer
folleto, obra que no llega a ser un libro
rimar, en poesía riman dos versos cuando sus sílabas finales son iguales. Campuzano rima con *ano,* lugar por donde sale del cuerpo el producto de la digestión. Ver nota a *páncreas* en pág. 113
chascarrillo, cuentecillo o frase gracioso y de sentido *equívoco* (= que puede entenderse de varias formas)
presumir de, estar orgulloso de
innato, nacido con la persona; se opone a adquirido
Azorín, seudónimo de José Martinez Ruiz (1873-1967) que con otros escritores importantes forma parte de la Generación del año 1898. Pablo Ruiz *Picasso* (1881-1973) célebre pintor español
infame, aquí: muy mala

portal

nudo

corbata

cinturón

cordón

pantalón
de pana

botín

– Sigo en esa infame revista, ganando un sueldo
infame con el que puedo permitirme el lujo de vestir
decentemente, pagarme un apartamento y salir de
vacaciones todos los años. Puedo, con ese sueldo
infame, pagarte incluso la copa que te bebes.

– Me tendrás que invitar a la siguiente, porque ya está pagada. Pago cuando me sirven por si luego aparece alguno de esos *gorrones* que tienen dinero para todo, excepto para invitar a los amigos. Por cierto, que voy a darte la oportunidad de tu vida. ¿Qué crees que estoy haciendo aquí?

– De momento, *insultarme* – respondí.

– Error, eso lo puedo hacer en cualquier sitio. Estoy vigilando a un tipo.

– ¿Dónde está?

– No está, pero estará dentro de un rato. Saldrá de ese portal con una cartera negra en la mano y nosotros lo seguiremos allá donde vaya.

– Yo no. Tengo prisa.

– ¿Has *quedado* con Teresa? Me dijo que ya no os veíais.

Luis Mary tenía esa *habilidad,* que algunos llaman ingenio, de golpear en las zonas más doloridas de la personalidad de sus amigos. Teresa había sido el fracaso sentimental de mi vida. Fuimos novios desde los últimos tiempos del *bachillerato* hasta el final de la carrera. Me dejó porque, según ella, yo sólo sabía moverme en un plano. Llegó a odiar mi *equilibrio.* Decía que yo la amaba, pero que la amaba de acuerdo

---

gorrón, aquí: persona que se deja invitar siempre para no gastar su dinero

insultar, ofender a alguien con palabras

quedar con, fam. fijar un encuentro; *quedar en,* concluir, estar de acuerdo en algo

habilidad, disposición para hacer algo con facilidad

bachillerato, ver nota a *facultad* en pág. 6

equilibrio, cualidad de la persona que se muestra siempre en un punto justo con unas *normas preestablecidas;* que programaba mi amor del mismo modo que programaba mis estudios: era, en definitiva, un hombre sin sorpresas. Teresa no supo curarme; ignoraba que ese orden externo era el contrapeso necesario al *caos* interior que aún me habita. Teresa amaba en mí esa zona oscura que nunca he mostrado, pero que una mirada atenta como la de ella era capaz de advertir en el modo de encender un cigarrillo. Me amaba, pues, por lo que yo más odiaba de mí mismo y nuestra *ruptura* me dejó de recuerdo (a parte de media docena de corbatas y un *mechero* de oro que todavía conservo) una de esas heridas cuyo olor han *detectado* todas las mujeres a las que luego he intentado acercarme.

La *alusión* de Luis Mary fue a dar en esa herida y la violencia con que me golpeó no venía tanto del hecho de nombrar a Teresa, como de la información *lateral* que contenía su frase: «me dijo que ya no os veíais». Ese «me dijo» significaba que él la había visto y dejaba abierta la puerta para que mi fantasía imaginara cualquier cosa acerca de la relación entre ambos. Dije:

– ¿Tú no tienes ningún punto *vulnerable?*

– Sólo uno, Manolo Ge: la muerte. La llevo en la *cerviz,* como los toros, y es fácil de encontrar. Ahora deja

---

normas, reglas que se siguen al obrar, *preestablecidas,* establecidas de antemano, aquí: de manera precisa y fija
caos, aquí: confusión y falta de orden interior
ruptura, hecho de romper su relación amorosa
mechero, ver ilustración en pág. 31
detectar, notar, *percibir* (= darse cuenta de que existe)
alusión, referencia
lateral, no central ni principal
vulnerable, que puede ser herido, aquí, en lo moral
cerviz, ver ilustración en pág. 138

de sufrir un momento, que el tipo de la cartera negra debe de *estar al* salir. Tranquilízate, no tengo nada que ver con Teresa. La veo de vez en cuando, como antiguos compañeros; eso es todo. Debes saber que soy un hombre casado.

Nos quedamos silenciosos, con la mirada dirigida al portal en el que apareció una *suerte de enano,* por otra parte normalmente constituido, que llevaba una cartera negra, excesiva para su tamaño, bajo el brazo derecho. Pareció dudar unos momentos sobre el camino a seguir, y después de una rapidísima mirada sobre quienes permanecíamos en la terraza, dio un giro a la derecha y comenzó a andar dándonos la espalda.

enano

Luis Mary se levantó con una calma contenida, *extrajo* de uno de sus bolsillos una *pelota* de billetes de banco y dejó uno, que habría servido para pagar tres copas más, sobre la mesa. Dijo:

– Vamos.

Y comenzó a andar tras el hombrecillo.

Ignoro qué impulso me obligó a seguirle aunque no

---

estar al + verbo, estar a punto de suceder o de hacer lo que el verbo indica
suerte de, especie de; aquí, un hombre como un *enano*
extrajo, de extraer, sacar
pelota, ver ilustración en pág. 20

dudo que procedía de la parte más débil y menos equilibrada de mi carácter.

También *influyó,* seguramente en mi decisión el hecho de que Luis Mary parecía saber cosas acerca de Teresa. Estar junto a él en aquellos momentos era un modo de relacionarme con ella.

Preguntas

1. ¿Quiere comentar las diferencias entre los caracteres de Luis Mary y de Manolo G.?

2. ¿Cómo son sus vidas? ¿Qué hacen? ¿Cuál ha sido su relación en su juventud y cuál es en el momento en el que transcurre la novela?

3. ¿Qué se propone hacer Manolo en el tiempo en el que empieza la novela?

4. ¿Qué hace Luis Mary cuando Manolo le encuentra en el Paseo de Rosales?

5. ¿Cuál es la reacción mutua? ¿En qué mundo parecen vivir?

---

influir, tener influencia

DOS

El hombrecillo al que seguíamos tenía andares de pájaro. Llevaba una camisa blanca, de manga corta y pantalones azules de *tergal*. Nos condujo al *Parque del Oeste,* lleno a esa hora de parejas y de señoras ocupadas en las labores de *ganchillo*. Se detenía con frecuencia a contemplar sucesos tan *triviales* como un niño *deslizándose* por un *tobogán* o un perro tratando de alcanzar una pelota. Después daba un saltito de *gorrión* y cambiaba de *rumbo*.

– Yo creo que ha notado que le seguimos – dije a Luis Mary.

– No importa – respondió –. Vamos a ponerle un poco *nervioso*. Entretanto vete *memorizando* algunas cosas, aunque no te parezcan de gran utilidad por el momento: el sujeto se llama Campuzano; fue, en tiempos, visitador médico. En la actualidad dirige una revista médica llamada **Hipófisis,** que está *financiada* por los laboratorios *Basedow,* una multinacional con

---

tergal, tela fina, propia de la ropa de verano
Parque del Oeste, parque de Madrid
de ganchillo, labores hechas con *aguja de ganchillo.* Ver ilustración en pág. 20
trivial, de poca importancia
deslizarse, aquí, bajar sentado o echado dejándose caer
tobogán, gorrión, ver ilustración en página 20
rumbo, dirección
nervioso, inquieto, intranquilo
memorizar, retener en la memoria
hipófisis, órgano situado en la *base del cráneo* ver ilustración en pág. 46. Las hormonas (ver nota a *endocrinóloga* en pág. 52) que produce tienen influencia en el crecimiento y en el desarrollo sexual
financiada, pagada
Juan Basedow (1799-1854) médico alemán

más *ramificaciones* que mi *árbol genealógico*.

– ¿Por qué le seguimos?

– Nos lo dirá él en su momento.

– No entiendo nada – dije.

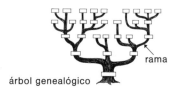

árbol genealógico

rama

– Es lo mismo. No hay ciudadano que bien *investigado* no merezca diez años de cárcel. Al que tenemos delante se le podrían *meter* veinte utilizando sólo los documentos que lleva en la cartera.

– Podría haber esperado cualquier cosa de ti, excepto que terminaras de *detective* privado.

– Si perseguir a un tipo de metro y medio que arrastra una cartera significa para ti ser detective, es que tu imaginación ha adelgazado en los últimos años, Manolo Ge. Estoy a punto de dar un *golpe* de mucha *pasta* y he decidido regalarte la exclusiva periodística, que vale unos *cientos*. De manera que acepta el regalo o vete, pero no me pongas nervioso,

---

ramificación, aquí fig.: que tiene muchas extensiones o ramas como un *árbol genealógico* o de familia

investigado, de investigar, hacer trabajos para llegar a saber algo

meter, fam. poner, condenar a 20 años de cárcel

detective, policía particular que practica investigaciones privadas

golpe, aquí llevar a cabo (= hacer) una acción

pasta, fam., dinero

cientos de miles de pesetas

porque ese tipo tiene más *cerebro* que tú y que yo juntos.

El tal Campuzano entró en la Rosaleda. Entramos tras él, guardando una distancia prudente. El sujeto dio un par de vueltas, se sentó en un banco y comenzó a fumar. La tranquilidad con que encendió el cigarro *contrastaba* con la actividad general de su cuerpo. Tenía el pie derecho como dispuesto a levantarse. Los ojos, casi rendondos, giraban de un lado a otro en busca de un objetivo inexistente, o en todo caso, muy lejano. Luis Mary y yo permanecimos observándole detrás de unos rosales. Parecía que no nos podía ver. En un momento determinado, nuestro hombre miró su reloj de pulsera. Luis Mary dijo:

– Está esperando a alguien. Es posible que no haya advertido nuestra presencia. Escucha, lo más importante en este asunto es no perder de vista la cartera. Creo que tarde o temprano aparecerá una persona a quien se la tiene que entregar. Cuando esto suceda, yo me iré detrás de la persona y tú detrás de Campuzano. Si ves que la cosa se pone difícil, no te expongas a nada, *te largas* y en paz. Ya hablaré yo contigo mañana o pasado, ¿*vale*?

– Vale.

La idea de *escaparme* del asunto de manera tan sencilla me tranquilizó. Si la persona aparecía yo pensaba

---

cerebro, fig., inteligencia
contrastar, aquí: mostrar gran diferencia
largarse, fam., marcharse
vale, voz coloquial en el empleo que se hace de ella para mostrar que se está de acuerdo
escaparse, aquí: salirse de, dejar el asunto

tobogán

pelota

labor de ganchillo

aguja de ganchillo

gorrión

20

teleférico

cabina

estatua

cabina telefónica

asa

largarme se pusiera o no difícil la cosa. Luis Mary, sin embargo, estaba cada vez más nervioso y esto era para mí una novedad que *daba cuenta* de la *magnitud* del asunto que se *traía entre manos*.

En esto, el hombrecillo se levantó, tiró el cigarro y aprovechó el gesto para echar otra mirada a su reloj. Después comenzó a andar despacio en dirección a la salida. Nos condujo al *teleférico*, y según subíamos las escaleras, Luis Mary me dijo:

– Vamos a pegarnos a él como si fueramos juntos. Si coge una *cabina* nos metemos los tres en la misma.

– ¿No sería más prudente seguirle en la de atrás?

– Haz lo que te digo.

– De acuerdo – contesté.

El llamado Campuzano sacó un billete de ida y vuelta. Luis Mary, detrás de él, sacó dos para el mismo *trayecto*. La empleada miró el reloj y dijo:

– Tienen que volver antes de una hora; el teleférico deja de *funcionar* cuando anochece.

En la terminal tuvimos que esperar unos segundos. A esa hora ya no subía nadie. El empleado nos miró a los tres. Estabamos *mudos* como *estatuas*. Dijo:

– ¿Les importaría ir en la misma cabina?

– No – *se apresuró* a contestar Luis Mary.

Yo no dije nada. El hombrecillo tampoco. Se sentó

---

dar cuenta, aquí: mostrar, demostrar
magnitud, grandeza, importancia
traer entre manos, fam. ocuparse de algo
teleférico, cabina, estatua, ver ilustración en págs. 20/21
trayecto, espacio que se recorre desde un punto a otro
funcionar, aquí: moverse, marchar
mudo, sin hablar
apresurarse, darse prisa

en un banco ocupando el centro. Luis Mary y yo nos colocamos frente a él. Miré hacia abajo y comencé a sentir *vértigo*. Intenté mirar a Campuzano, pero eso me producía *desazón*. Tenía los ojos de una paloma y parecía tan *asustado* como un animal de esa especie. Intenté sonreír y fracasé.

– Me están dando ganas de *devolver* – conseguí *articular* finalmente.

No oí que nadie me respondiera. Cerré los *párpados* y los mantuve cerrados. Cuando abrí los ojos, habíamos atravesado ya los tejados de las casas que hay en esa zona y estábamos en el punto más alto sobre el que pasa el teleférico: encima del *río*. Sentí en mi estómago la presencia de un gato encerrado o una pelota de *gusanos de seda*. Pensé que no podría retener el *vómito* y me volví a Luis Mary, que estaba muy serio, con la mirada clavada en la *entrepierna* de Campu-

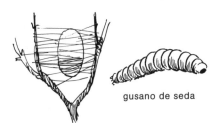

gusano de seda

---

vértigo o *mareo*, sensación de que falta la tierra bajo los pies

desazón, falta de tranquilidad

asustado, con mucho miedo

devolver o *vomitar*, arrojar por la boca el contenido del estómago (= *vómito*)

articular, decir

párpado, entrepierna, ver ilustración en pág. 138

río, se refiere al río Manzanares que pasa por Madrid y es afluente (= va a) del río Tajo

navaja

filo

zano. Miré hacia allí y vi que por debajo de la cartera negra asomaba una *navaja* de quince centímetros. El miedo *apaciguó* a los gusanos de seda y mi *tensión nerviosa* descendió.

Cuando nuestra cabina alcanzó la zona de la *Casa de Campo* sobre la que el teleférico pasa a menos distancia del suelo, el hombrecillo miró por primera vez hacia abajo. Luego levantó la mano izquierda y arrojó la cartera por la ventanilla que había encima de él, a

---

apaciguar, tranquilizar; imagen: apaciguó los gusanos = se pasó el mareo

tensión nerviosa, aquí: estado de desazón producido por la situación

Casa de Campo, parque de Madrid

su espalda. Pude ver que una sombra se acercaba a recogerla. La navaja no había cambiado de posición. Entonces, Luis Mary dijo:

– Enhorabuena, Campuzano, tenías un plan perfecto.

Nos miró a uno y a otro y dijo:

– Ustedes me seguían, ¿sí, no, eh?

– *Eres un águila* – respondió Luis Mary.

águila

En esta situación llegamos a la terminal del teleférico, donde Campuzano cerró la navaja y se la guardó en algún lugar cercano a la *ingle*. Descendimos detrás de él y vimos cómo se alejaba en dirección a una *cabina* telefónica.

– Vamos a esperarle – dijo – Luis Mary.

– Yo no regreso con ese *pájaro* – respondí.

– No te preocupes, ya ha soltado la cartera, que era lo que quería. Ahora no es peligroso y le podemos *sonsacar* algo.

– Bueno.

---

ser un águila, fam., ser muy inteligente; aquí irónico
ingle, cabina telefónica ver ilustración en pág. 138 y en pág. 21
pájaro, fam. y coloquial: persona en la que no se confía
sonsacar, hacer lo posible para que alguien diga lo que sabe pero que no quiere decir

El miedo me impidió dar una respuesta más inteligente. Campuzano colgó el teléfono y salió de la cabina. Vino hacia nosotros.

– Van a volver conmigo, ¿sí, no, eh? – dijo y echó a andar hacia la terminal.

Nosotros, sin abrir la boca, nos colocamos junto a Campuzano, y con más miedo que vergüenza nos metimos en la misma cabina.

Oí el ruido de la puerta al cerrarse e inmediatamente el ruido de la navaja automática al abrirse. Se la colocó de nuevo entre las piernas.

– Como esto se mueva *bruscamente,* vas a *pincharte* en un sitio muy doloroso – bromeó Luis Mary.

– Le gusta mucho *jugar con fuego,* ¿sí, no eh? – respondió Campuzano.

– Sólo cuando la *hoguera* es productiva, Campuzano. Y la leña que tú usas vale mucho dinero. Asóciate conmigo y nos *forraremos* los dos.

– Yo no trabajo con inmorales – respondió mirando la ropa de Luis Mary.

hoguera

---

bruscamente, de forma rápida, no esperada y con fuerza
pincharte, aquí: clavarse la navaja
jugar con fuego, aquí: obrar sin pensar en el peligro. El refrán es: «el que juega con fuego se quema»
hoguera, aquí fig.: el asunto de que se trata
forrarse, fam.: obtener mucho dinero

– Es muy frecuente entre la gentuza de tu *calaña* confundir la moral con la ley. Sois una especie de *degenerados* cuya definición escapa a los límites del *código penal*. Si lo que tienes entre las ingles te sirviera de algo, habrías colcado la navaja en otro sitio.

La provocación de Luis Mary *afiló* la mirada de Campuzano, pero la navaja no se movió de su lugar.

– Déjalo ya, Luis Mary.

– No te preocupes – contestó –, el señor Campuzano, al que no sé si te he presentado en el viaje de ida, es una especie de *reptil* perfectamente estudiada; de

reptil

manera que conozco sus características. Lo que lleva entre las ingles sólo puede utilizarlo para impresionar, ya que una suerte de *jugarreta genética* le impide usarlo para otros fines que los puramente *ornamentales*. De lo que hay que cuidarse realmente es de su mordedura.

---

calaña, especie, clase; aquí: despectivo

degenerados, personas de condición moral muy baja y mala

código penal, conjunto de leyes con las que se castiga (= *pena*) un *delito* (= hecho que va contra la ley)

afilar, aquí fig.: hacer más dura y cortante como el *filo* de la navaja

reptil, todo animal que camina arrastrándose como la *serpiente,* ver viñeta en pág. 29

jugarreta, jugada mal hecha, juego no limpio; es fam., *genético,* lo que tiene que ver con la naturaleza de cada uno

ornamental, de adorno. L. Mary provoca a Campuzano llamándole impotente sexual

Después de esta explicación nos quedamos todos un poco silenciosos. Yo no sabía a dónde mirar y resolví la duda volviendo los ojos de nuevo a la navaja. Pasados unos segundos Luis Mary dijo:

– ¿No ves? Es lo que te decía, te *hechiza* con lo que tiene entre las piernas y, cuando el hechizamiento se convierte en hipnosis, te ataca en el cuello con los dientes. Menos mal que has venido conmigo, que soy un experto.

Ahora sí que escuché un *silbido de serpiente* que me heló la sangre. Cuando me fue posible levantar los ojos, la cara de Campuzano se sostenía sobre un cuello sometido a toda clase de tensiones musculares.

Afortunadamente, en ese momento entrábamos en la terminal y los ruidos externos consiguieron aliviar la tensión en el interior de la cabina. Campuzano cerró la navaja y salió delante de nosotros. Luis Mary todavía pretendía seguirle, pero un par de *gorilas* muy simpáticos nos detuvieron en la puerta y nos obligaron a jugar durante media hora en unas maquinitas

gorila

---

hechizar, aquí: quitarle la fuerza de pensar, como hipnotizar
silbido, el ruido que hace la serpiente
gorila, aquí fig. persona fuerte y que acompaña a otra para defenderla; se llaman también guardaespaldas y *matones*

tragaperras, mientras Campuzano se largaba escaleras abajo. Los dos gorilas que conocían aquellos puntos del cuerpo donde el dolor alcanza su máxima perfección bajo el menor *estímulo* nos *castigaban* entre risas cuando no conseguíamos en la máquina la *puntuación* necesaria para sacar una *partida* gratis (las monedas las pusieron ellos).

Cuando se fueron, tras *proferir* diversas amenazas para el caso de que nos volvieramos a encontrar, Luis Mary intentó reirse, pero el movimiento de los músculos de la cara le ocasionó un reflejo doloroso en sus castigados hombros y estuvo a punto de desmayarse.

– ¿En qué andas metido? – conseguí preguntarle.

– Ya te contaré; hay mucho dinero por medio.

– Sí, pero los hospitales son caros. Así que hazme un favor: olvídate de mí para este asunto.

serpiente

Preguntas

1. ¿Qué hacen los dos amigos desde el momento en que Campuzano sale de la casa?

2. ¿Qué hace Campuzano?

3. ¿Qué sucede en la cabina del teleférico?

4. ¿Qué sucede en la terminal del teleférico?

TRES

No volví a saber nada de Luis Mary hasta mes y medio o dos meses después. Estábamos en los primeros días de un noviembre soleado, aunque frío. Yo preparaba mi primera entrevista importante a un conocido actor de cine y *me aplicaba* a combatir la soledad de mi apartamento y de mi vida.

En esto, una noche sonó el teléfono y *me arrojé* sobre él como si se tratara de esa llamada secreta que todos esperamos. Distinguí enseguida al otro lado la voz de Teresa, la voz de Teresa.

– ¿Eres tú, Manolo? – dijo dos o tres veces.

– Sí – articulé al fin –, es que estaba dormido. Perdona.

– Oye, estoy aquí cerca, en un bar. Tengo que hablar contigo. ¿Subo yo o bajas tú?

– ¿Sabes el piso?

---

aplicarse, aquí: dedicarse con interés
arrojarse, lanzarse

cuartilla / tecla / mechero / rodillo / folio / pluma estilográfica

– Sí; tercero, apartamento siete. Bueno, qué, ¿subo entonces?

– De acuerdo, te espero.

Colgué el teléfono y me puse a *sudar*. Después me levanté y recogí un *cenicero* lleno de *colillas* que arrojé por el *vater*. Me vestí, me peiné con los dedos; me vi durante unos instantes en el espejo y advertí en mi cara los signos de un solitario que caminaba hacia la *madurez*. Luego fui al salón, coloqué un libro abierto sobre la mesa e introduje una hoja de papel en el

---

sudar, humedecerse (de húmedo) la piel a causa del calor o del miedo

cenicero, colilla, ver ilustración en página 89; *vater* en páginas 44/45

madurez, edad madura, después de la juventud

rodillo de la máquina. Escribí: «CAPÍTULO XII».
Esperaba que ella lo viera y que creyera, pues, que
estaba escribiendo una novela. Inmediatamente el
sonido del *interfono* me heló la sangre. Cogí el *telefonillo.*

– Soy yo, abre – dijo Teresa desde abajo.

Abrí la puerta antes de que llamara al timbre.

– Hola – dijo, y nos besamos mutuamente.

– Siéntate, por favor.

Se sentó, encendió un cigarro, me miró. Luego dijo:

– Luis Mary ha muerto.

Recibí la noticia, y *me disparé* a los pocos segundos:

– ¿Y por qué tanta ceremonia? No conocías este
apartamento . . . Hace años que no nos vemos y lo primero que me dices nada más sentarte es que Luis
Mary ha muerto. Para esa clase de noticias se utiliza el
teléfono y, además, me lo debería haber dicho cualquier otra persona.

– Es que se ha suicidado.

– Mejor; me alegra saber que al final supo dirigir
acertadamente su *agresividad.*

Yo estaba de pie, de espaldas a ella. La oí llorar.

– No me vayas a decir ahora que estabas enamorada
de él. Y no me digas, por favor – añadí sentándome
frente a ella –, que no se te ha ocurrido un lugar mejor
para *llorarle.*

– Es que tal vez no se haya suicidado – murmuró.

---

rodillo, ver ilustración en página 31

interfono, telefonillo, ver ilustración en págs. 44/45

dispararse, aquí: contestar enseguida y sin reflexionar

agresividad, aquí: *capacidad* (de capaz) de provocar y atacar a los
otros con palabras

llorarle, llorar por él

– Tal vez no esté muerto – dije por continuar con el mismo *argumento* pero *asombrado* de que su presencia me hiciera aún tanto daño.

Su aspecto no era muy diferente al de los mejores días de nuestra cercana juventud. Su forma de vestir y de peinarse, su manera de llorar incluso me arrastraron a una zona de la vida que, si no fue feliz, fue intensa. En esa zona *me fue dado* creer que mi lucha contra la soledad tendría éxito. Y, si lo creí, fue por ella.

– Supongamos que no se ha suicidado – dije al fin –. ¿Qué gano yo con eso? Y tú, ¿qué pierdes?

– No se trata de ganar o perder, Manolo. Estábamos juntos en un asunto y lo mismo me podía haber tocado a mí.

– Te puede tocar todavía; no tienes por qué ser la primera en todo. Además, si te hubiera tocado a tí, a lo mejor quien estaría llorando aquí en este momento sería Luis Mary. Lo que quisiera saber es a quién puedo acudir yo para que *se haga cargo* de mi dolor, porque parezco el idiota de la familia.

– Había olvidado – dijo levantándose – que delante de ti sólo se puede hablar de Manolo Ge Urbina. Espero que hayas llegado a ser un experto en el tema.

– Si conociera un poco ese tema, no te habría perdido – dije cogiéndola por los hombros.

Ella acercó su cabeza a mi pecho y *rompió a* llorar de

---

argumento, aquí: asunto, tema
asombrado, admirado con algo de miedo
me fue dado, pude, tuve la suerte de, me fue posible
hacerse cargo, preocuparse, ocuparse de, comprenderle y ayudarle, ver nota en pág. 59
romper a+ infinitivo empezar a hacer lo que el verbo indica

nuevo. Sin embargo, este segundo llanto era más falso que la *moqueta* de mi apartamento.

– Siéntate y cuéntame la historia.

– Luis Mary se casó hace un año con una médico. Los amigos no comprendimos bien aquella boda, pero con el paso del tiempo vimos que las cosas iban bien, excepto que a Luis Mary se le veía algo nervioso, como si estuviera en un estado de *alerta permanente:* al *acecho* de algo más que a su defensa. Por esta época, como a los tres meses de su boda, empecé a verle con alguna frecuencia. Me propuso un par de trabajos relacionados con laboratorios químicos y productos farmacéuticos, pero no le hice mucho caso. De todos modos, continuamos viéndonos cada vez más seguido. Ultimamente, se quedaba a dormir en mi casa algunas noches.

En este punto volvió a *sollozar,* pero ahora los sollozos *preludiaban* o intentaban contener un llanto tan verdadero como mi ruina moral. Dije:

– No es preciso que cuentes *anécdotas* laterales. Dime si el asunto tiene que ver con unos laboratorios llamados Basedow, una revista titulada **Hipófisis,** un tipo *portador* de una navaja de quince centímetros y una cartera.

---

moqueta, tela gruesa que se emplea para cubrir el suelo o para alfombras; *falso,* no sincero, la moqueta es falsa porque no es de hilo sino de materia no natural (= *sintética*)

alerta, con vigilancia y atención; *permanente,* constante

estar al acecho, estar alerta, observar con cuidado

sollozar, aquí: llorar

preludiar, anunciar, dar entrada a

anécdota, relación breve de un hecho, en general sin importancia

portador, que lleva

– Sí. Luis Mary me contó que os habíais visto y la aventura de aquella tarde en el teleférico. Por eso he venido, por si le habías vuelto a ver y te había contado algo más.

– No volví a saber nada de él. Y lo que queda por añadir a mi breve relato es la imagen de Luis Mary y yo golpeados contra unas máquinas tragaperras. Con risas al fondo.

– Verás – dijo ella –, estaba investigando algo que valía muchos millones. Se trataba de un *fraude* que los laboratorios Basedow habían hecho a *Hacienda*. Como sabes, el Estado da al que *denuncia* esta clase de *delitos* el treinta por ciento de la cantidad *recaudada* gracias a la *denuncia*. El *porcentaje* por el fraude de los laboratorios Basedow podía suponer unos veinte millones de pesetas. A Luis Mary sólo le faltaba conseguir algunas pruebas.

– Si la cosa fuera así de fácil, Teresa, mañana mismo me iba a recoger las pruebas del fraude a la Hacienda Pública de una multinacional cualquiera.

Ella dijo:

– No seas irónico. Pareces Luis Ma . . .

– Continúa – dije.

– Bien, Luis Mary tenía ya algunas pruebas, casi todas. Trabajó para los laboratorios una temporada.

– ¿Por qué lo dejó?

---

fraude, engaño hecho con *malicia* (= mala intención) al Ministerio de *Hacienda* (el que se ocupa de la renta pública)
denunciar, dar noticia a la autoridad de un *delito* (= lo que va contra la ley) aquí el fraude; *denuncia,* acción de denunciar
recaudar, recoger
porcentaje, tanto por ciento, %

– Le *despidieron*. Había llegado a saber muchas cosas.

– ¿Quién le colocó ahí?

– Su mujer.

– Casado y trabajando. Esa mezcla de obligaciones en un temperamento como el de Luis Mary puede conducir al suicidio.

– Siempre tuve la sospecha de que se metió en esos laboratorios para conseguirle algo a su mujer.

– ¿Qué clase de algo?

– No sé. *Documentos* o información.

– Y buscando eso se encontró con lo otro, con el asunto de los veinte millones.

– Eso creo. Yo le ayudaba en sus *pesquisas,* pero nunca llegó a contármelo todo.

– ¿Cómo se llama su mujer?

– Carolina, Carolina Orúe.

– El nombre no nos ayuda mucho, pero es bonito. Toma, *apúntame* la dirección de su *consulta* y de su casa. Le mandaré el *pésame.* Ahora dime por qué no has avisado a la policía.

– Lo hice, pero no quisieron saber nada sobre el tema. El encargado del caso es un inspector que está a

---

despedir, aquí: echar del trabajo, obligarle a abandonar su puesto

documento, escrito en el que se prueba algo

pesquisa, investigación para *averiguar* (=llegar a saber) un hecho que está oculto

apuntar, aquí: escribir

consulta, lugar en el que un médico recibe a los enfermos

pésame, de pesar, sentir pena; expresión con la que se expresa a uno el sentimiennto que se tiene por la muerte de alguien

punto de *jubilarse* y no quiere ningún *follón.* De manera que se agarra al informe del *forense,* según el cual no hay duda de que fue un suicidio.

– ¿Cómo se supone que lo hizo?

– *Ahorcado* de una cuerda, en el salón de su casa.

– ¿Quién lo encontró?

– Carolina, al volver de la consulta.

– ¿Cuándo?

– Ayer.

– Bueno, y ahora qué hago con estos datos.

– No sé; confiaba en que te hubiera dado a ti algo para que se lo guardaras aquella tarde. Un *portafolios* o unos documentos...

– No me dio nada y, si te dijo lo contrario, mentía para ocultarte que no lo había conseguido. De todos modos, déjame pensar. ¿Cuándo es el entierro?

– Mañana, a las diez y media.

– Bien. Nos vemos en el cementerio y hablamos. ¿Tienes tú el resto de los documentos?

– Sí tengo en casa un *maletín* que me dio a guardar Luis Mary. *Estaba con él* en esto al cincuenta por ciento.

– Entonces, a lo mejor llorabas por el dinero. Eso me parece más *sensato.*

---

jubilarse, dejar el trabajo por haber llegado a la edad para ello

follón, fam. complicación, problema

forense, perteneciente al *foro* (= a la justicia), aquí el médico que examina el cadáver para averiguar la causa de la muerte

ahorcarse, quitarse la vida colgándose por el cuello

portafolios, cartera de mano para guardar libros o papeles, *maletín,* ver ilustración en pág. 89; pero siempre hablarán de una cartera

estar con él en algo, ir juntos en el negocio

sensato, de buen juicio

Me miró y yo dije:

– Quédate a dormir.

– Hoy no, – respondió y se fue.

Preguntas

1. ¿Cuánto tiempo ha pasado desde el viaje de los amigos y de Campuzano en el teleférico?

2. Explíque el encuentro entre Teresa y Manolo: causas. Comente la relación entre Teresa y Manolo.

3. ¿Qué le ha sucedido a Luis Mary?

CUATRO

El entierro fue digno de Luis Mary: un frío *despiadado,* un cementerio civil, siete *barbudos* mal vestidos, un *sepulturero,* dos niños que venían con una señora y yo. Más tarde vinieron dos *filólogos,* tres *videntes* y un *traficante* de heroina. Teresa vino junto a mí y me fue diciendo algunas de las características principales de

---

despiadado, aquí fig. sin piedad; mucho frío
barbudo, con barba
sepulturero o *enterrador,* persona cuyo oficio es enterrar a los muertos
filólogo, persona que se ocupa del estudio de la lengua hablada o escrita
vidente, que ve, aquí: el porvenir
traficante, que compra y vende

sepulturero

los personajes más notables que acudían al entierro. Luis Mary fue muy importante en mi vida. Eramos, más que amigos, los amigos. No diré que a causa de él he llegado a ser todo cuanto más odio, pero se comprenderá mi posición de desventaja en aquella amistad, si añado que él tenía todo cuanto yo más *envidiaba,* mientras que yo era poseedor de todo aquello que más despreciaba él.

– ¿Y quién es la del vestido negro que está junto a los padres de Luis Mary? – pregunté.

– Carolina. La *viuda.*

– Es muy guapa – añadí.

– Sí – dijo Teresa.

– En cuanto lo cubran nos largamos – dije –. Paso un momento por la revista y después empezamos la investigación.

– Vámonos ya. Prefiero no verlo.

Conseguimos un taxi en la puerta del cementerio. El taxista era muy alegre y, como advirtió que veníamos de un entierro nos proporcionó toda clase de historias relacionadas con la conducción de cadáveres.

Llegamos a la revista.

– Subo un momento a ver al redactor jefe y bajo enseguida. Tú espérame aquí.

– Vale.

El redactor jefe estuvo muy comprensivo. Le dije:

– Chico: se ha muerto un amigo mío y vengo ahora del entierro.

– ¿*Cáncer?*

– No. Mira, me tengo que ir ahora mismo. La viuda está *destrozada* y no me parece bien dejarla en unos momentos así.

– ¿Accidente de coche?

---

envidiar, sentir *envidia* (= deseo) de lo que otro tiene
viuda, mujer cuyo marido ha muerto
cáncer, enfermedad muy grave
destrozada, rota en pedazos, aquí fig.: con mucha pena

– Así que me voy a acercar a su casa para acompañarla un rato.

– ¿*Infarto*?

– No – dije, y advertí que sólo escuchaba la parte de mi respuesta que se refería a su pregunta.

Decidí comprobarlo de todos modos y añadí:

– ¿Crees que debo llevar unos *pasteles* o una botella de vino?

– ¿Pero tú te has vuelto idiota o es que crees que vas a una fiesta? ¿De qué se ha muerto?

– No.

– ¿No qué?

– Que no me he vuelto idiota. No conoces tu propia técnica. He contestado sólo a la primera parte de tu pregunta.

– Muy gracioso. Y de qué se ha muerto.

– *De un* suicidio; en la garganta.

– ¿Cuerda?

– Sí.

– Vaya, eso es peor.

Y no me explicó por qué era peor ni en relación a qué lo consideraba más malo. Yo dije:

– Entonces, me voy ahora mismo.

– Pero mañana, a las nueve en punto, aquí. Tienes que llenar dos páginas de cualquier cosa.

– Vale, no te preocupes.

– Oye, por cierto, que si quieres incluimos en la sec-

---

infarto, enfermedad producida porque la sangre no riega (de *regar* = correr por) alguna parte del cuerpo
pastel, dulce
de un, irónico porque se muere *de* una enfermedad o *de* una herida, pero no *de* un suicidio

41

ción de *necrológicas* a tu amigo, ocultando lo del suicidio, claro. A los familiares les suele gustar eso; es como
si su hijo hubiera tenido amigos importantes.

Dije:

– Yo mismo redactaré la nota.

Teresa continuaba abajo. La observé sin que me
viera antes de salir. Era otoño y estábamos juntos. *Pre-
sentí* que durante algún tiempo, quisiera o no, perma-
necería atada a mí y esa seguridad me proporcionó
cierta *euforia*.

– Bueno, ya estoy libre. ¿Por dónde empezamos? –
pregunté.

– No sé; no puedo pensar ahora.

– Está bien, vamos a tomar algo.

– Perdona, no podría comer nada.

– Dime qué es lo que podrías hacer. A mí me van a
descontar de mi *salario* unas cuantas horas y me gustaría saber en qué las estoy invirtiendo.

Pensé que se iba a poner a llorar. Pero no: afiló los
ojos hasta alcanzar el dudoso *espesor de la cuchilla* y me
contestó:

– En el culto a ti mismo, Manolo *Gurbina*. Y no creo

cuchilla

---

necrológica, sección donde se dan las noticias referentes a la
muerte de alguien
presentir, adivinar una cosa antes de que suceda
euforia, alegría exagerada
salario o *sueldo,* dinero que se recibe por el trabajo que se hace
espesor o *grueso* (= gordo) de un cuerpo, *dudoso* porque la cuchilla
es tan fina que no tiene espesor
Gurbina, juego con G. Urbina; otros: Manolog, Manologe. Ver
nota a García en pág. 6

que hayas comprado nunca tanto por tan poco.

La miré y sentí que la nostalgia de un sueño me *roía* el estómago.

– Qué raros somos – dije.

Y eso fue todo.

Después cogimos un taxi y fuimos al piso de Teresa. En realidad, se trataba de un pequeño apartamento peor *equipado* que el mío.

– ¿De qué vives? – pregunté.

– De aquí y de allá. Ahora *estoy en el paro*.

El desorden de muebles, libros y otros objetos alcanzaba la altura de un enano por cada metro cuadrado de piso.

– Deberías limpiar un poco – aconsejé.

– *Sacar brillo a la mierda* es un trabajo de *obsesos*, Manolog. Eso es lo que tú harías toda tu vida, pero somos distintos unos de otros.

– Cada uno limpia lo que tiene, Teresa. Dame el maletín de que me hablaste. Estudiaré la documentación y te llamaré mañana o pasado, a ver si estamos

rata

---

roía de *roer* (= cortar algo con los dientes en pedazos muy pequeños como hace la *rata* aquí fig.: producir dolor o malestar

equipado, aquí: preparado con las cosas necesarias para la vida diaria

estar en el paro, estar sin trabajo (= parado) recibiendo ayuda económica del gobierno

sacar brillo, limpiar muy bien, *mierda*, aquí: lo que no vale nada

obseso, el que tiene una idea fija (= *obsesión)* que le ocupa y le quita la libertad

telefonillo

interfono

cadena de seguridad

cerradura

rosario

anilla

muestrario

billete de 5000 pesetas

44

ducha

cisterna

retrete, vater

taza

cubo de la basura

más tratables los dos.

Me fui con una cartera tan grande como la de Campuzano. Cogí el *metro,* subí a mi casa y la abrí. Había facturas, correspondencia interna, correspondencia externa, *albaranes,* notas, el *rosario* de mi madre y más de medio kilo en *billetes* de cinco mil (seiscientas mil pesetas, para ser exactos) Escondí el medio kilo en el *cubo de la basura,* y guardé el rosario de mi madre. Empecé por las notas. Una de ellas decía: «Presionar a Campuzano en el asunto de **Hipófisis**». Busqué en el diccionario hipófisis; decía: «Glándula u órgano de secreción interna situada en la *base del cráneo.*» No

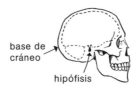

base de cráneo

hipófisis

entendía nada. Más tarde me acordé de que el tal Campuzano dirigía una revista médica con ese nombre. El resto de las notas era confuso y procedía de distintos *puños,* aunque predominaba el de mi amigo.

Pasé a la correspondencia externa; estaba casi toda en inglés. Llegué a la interna: se refería a cuestiones domésticas de los laboratorios Basedow y su contenido no era más inteligente ni tampoco más divertido

---

metro, abreviatura de *metropolitano* (= tren que corre en las ciudades)
albarán, documento
rosario, billete, cubo de la basura ver ilustración en págs. 44/45
puño, aquí: mano, escritura

que el que suelen producir los jefes de personal de todas las empresas del mundo. En cuanto a las facturas y los albaranes estaban escritos en un lenguaje que escapaba a mi comprensión.

Telefonée a Teresa. Le dije:

– Oye, lamento haber estado tan agresivo contigo. Pero no puedo estar de otro modo, ¿comprendes?

– No te preocupes. ¿Has visto los papeles?

– Sí.

– ¿Y qué?

– Bueno, hay algunas notas de Luis Mary, unas facturas y papeles; ya sabes: correspondencia interna, correspondencia externa, albaranes y el rosario de mi madre (me callé el medio kilo).

Teresa rió y dijo algo que pretendía ser cariñoso:

– En serio – añadí –, esto hay que estudiarlo despacio. Te llamaba para otra cosa.

– Tú dirás.

– ¿Sabes que si se acepta la hipótesis de que Luis Mary se suicidó, tú serías una de las primeras sospechosas?

– ¿Por qué dices eso?

– Bueno, teníais una relación extraña. Ibais a repartiros veinte kilos, y a lo mejor comenzaste a pensar que qué estabas haciendo tú para merecer la mitad de eso, excepto guardar una cartera de papeles que por ti misma no sabrías utilizar. Desaparecido él, y teniendo todos los papeles en tu mano, no sé, me imagino que no tendrías más que ir al inspector de Hacienda y pasarle el *dossier*.

---

dossier, palabra francesa: conjunto de documentos que se refieren a un asunto o a una persona

– Mira, Manolo, si sigues diciendo esas tonterías es mejor que no me ayudes a nada. Quizá a ti te dé igual que Luis Mary se suicidara o que le mataran. Pero a mí, no. Creo que entre matar y ser matado hay una diferencia que cualquier buen amigo debería intentar recorrer.

– Está bien, olvídalo. Otra cosa, ¿has estudiado tú los papeles?

– No, te he entregado la cartera tal como me la dio a mi Luis Mary.

– ¿Ni siquiera *le echaste un vistazo* por curiosidad?

– Ya te digo que no. Estaba llena de papeles incomprensibles para mí. ¿Por qué lo dices?

– Por nada. Voy a empezar a moverme. Ya te llamaré, ¿de acuerdo?

– De acuerdo. Un beso, Manolo.

– Gracias, Teresa, y perdona mi actitud de estos días.

Colgué. Telefoneé a la revista. Pregunté por Fernando, el especialista en temas económicos. Era uno de mi *promoción* algo indeseable como todos nosotros, pero buen profesional. Presumía de tener un amigo que aún era capaz de emitir opiniones personales. Hablar con él era siempre difícil, porque te obligaba a utilizar el *código* que su particular locura le imponía.

– Hola, Fernando. Soy Manolo G. Urbina. Tienes un minuto para contestarme a la siguiente pregunta:

---

echar un vistazo, mirar con no mucha atención
promoción, grupo de personas que terminan juntos la carrera
código, conjunto de reglas para hablar y actuar; en este caso con referencia al amigo que es el mismo Fernando

¿Qué son los laboratorios Basedow?

– Una empresa de productos farmacéuticos legalmente constituída. O sea, una organización mercantil e industrial. ¿Quieres que te *averigüe* su número de registro? Me deben de quedar aún cincuenta segundos.

Pensé que antes de interrogar a Fernando debería haber *elaborado* un *cuestionario*.

– ¿Se trata de una multinacional?

– ¿Y cuál no, Manolo?

– Bueno, ¿y tú qué piensas?

– ¿Sobre las multinacionales?

– No, hombre, sobre los laboratorios Basedow.

– Yo no pienso nada. Os tengo dicho a todos que hace años que no pienso. Pero si te interesa la opinión de un amigo mío, esos laboratorios tienen una *estructura organizativa* un poco rara.

– ¿A qué se refiere lo de la estructura organizativa?

– Según mi amigo, con esas dos palabras se intenta *designar* el conjunto de . . .

– Déjalo, déjalo – le interrumpí –. ¿Piensa tu amigo que las actividades que realiza esta empresa son notablemente más sucias que las del resto de esta clase?

– Así es Manolog – todos hacían siempre los mismos chistes con la G. de mi apellido.

– ¿Sabes si tu amigo conoce a un tal Campuzano?

---

averiguar, buscar algo hasta descubrirlo
elaborar, preparar una serie de preguntas (= *cuestionario*)
estructura organizativa, organización
designar, indicar, explicar

– Le conocía. Acabo de *arrancar* un telex que no lo van a leer *ni las ratas*. Resulta que Campuzano, el director de la revista médica **Hipófisis,** financiada por los laboratorios Basedow, ha aparecido muerto esta mañana en su piso. Se especula con la posibilidad de un suicidio.

– Gracias. Te dejaré la documentación para que se la enseñes a tu amigo.

– A tu disposición y suerte con lo que estés.

– Colgué. Fuí hasta la cocina y bebí dos vasos de agua. La cosa parecía grave; apenas comenzada mi investigación ya se había cometido un crimen.

Me fui a la calle; compré una bolsa de plástico con *cremallera hermética* y llegué, justo antes de que cerraran, a una tienda de artículos de broma y *magia,*

donde adquirí un cuchillo falso y una mancha de sangre *sintética*. El cuchillo estaba partido y tenía unidas las dos partes por un semicírculo de alambre. Comí en una cafetería y volví a casa. Guardé el dinero dentro de la bolsa de plástico y la oculté en la *cisterna*

---

arrancar, sacar de la máquina

ni las ratas, nadie

hermética, que cierra totalmente de modo que no penetre el aire ni el agua

magia, arte que enseña a hacer cosas extraordinarias y admirables

sintética, ver nota a *moqueta* en pág. 34

del *retrete*. El cuchillo lo coloqué en la mesilla de noche, junto al teléfono, y en el *cajón* de la misma metí la mancha de sangre. Después me eché sobre la cama y me quedé con el *asa* de la cartera en la mano.

mancha de sangre

Preguntas

1. ¿Qué piensan hacer Teresa y Manolo?

2. ¿Cómo se comporta Manolo? ¿Cuál es la causa o las causas de su comportamiento?

3. ¿Cuál es la situación de Teresa?

4. ¿Qué relación ha existido entre Teresa y Luis Mary?

5. ¿Cómo planea Manolo la investigación?

---

cisterna, retrete, ver ilustración en páginas 44/45
cajón, ver ilustración en pág. 88
asa, ver ilustración en pág. 21

CINCO

Me desperté a las seis de la tarde. Nadie había intentado asesinarme. Cogí la cartera de los documentos y me marché a la calle. Saqué siete mil pesetas de fotocopias. Fui a la redacción y dejé los duplicados sobre la mesa de Fernando (los originales, con la cartera, los metí en un cajón de mi mesa). Eran las siete y diez y ya había anochecido. Cogí un taxi y di un número del Paseo de Rosales, que correspondía con el del consultorio de Carolina. Cuando llegué advertí que el portal era el mismo del que había salido Campuzano aquella tarde de verano. Sabía por los libros que, apenas comenzada la investigación de un crimen, uno se encuentra con multitud de *coincidencias* que las más de las veces no deben de tener ningún significado. Esta, sin embargo debía tenerlo, pues Campuzano representaba a unos laboratorios farmacéuticos y en el tercer piso había una consulta médica:

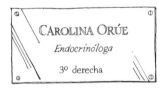

CAROLINA ORÚE

Endocrinóloga

3º derecha

---

coincidencias, cosas que parecen tener alguna relación con otras
endocrinólogo, o *endocrino* médico que se ocupa de las enfermedades *endocrinas* (= en relación con las *hormonas*: productos que sueltan (= segregan) ciertos órganos y que transportados por la sangre influyen en la actividad de otros) La ciencia se llama *endocrinología*

La enfermera me dijo que la doctora no recibía sino bajo petición *previa* de hora.

La miré y callé unos segundos. Después sonreí. Dije:

– ¿Le quedan aún muchos *pacientes?*

– Está con el último, pero ya digo que hoy no puede atenderle.

Compuse un gesto *afectado*. Rogué:

– Oh, pídaselo por favor, que es urgente.

No sonrió, pero me invitó a pasar. Fue sencillo: hacía algún tiempo que sabía que uno puede llegar a gustar a todas las mujeres a condición de no gustar a la única a la que uno quisiera gustar.

Tomé asiento con mucho gusto.

No había revistas sobre la mesa. La consulta era demasiado lujosa para una médico de treinta y cinco o treinta y siete años. Recordé a Carolina junto a los padres de Luis esa misma mañana. Seguramente era guapa, pero yo me había fijado sobre todo en su *melena,* corta y con las puntas hacia adentro. Esta clase de melena y una falda *plisada* era cuanto yo necesitaba ver en una mujer para invitarla a una copa. Si a eso añadía el que era la viuda de Luis Mary, creo que mi generosidad alcanzaría para pagar una cena en un buen restaurante.

Al poco, y sin que hubiera visto salir a nadie, la enfermera me invitó a pasar. Carolina me recibió de

---

previa, con anterioridad
paciente, enfermo
afectado, aquí: muy poco natural
melena, plisada, ver ilustración en página 54

pétalo

fichero

escote

falda plisada

sortija

melena

pie en el centro del despacho. Tras darme la mano, se sentó en su sillón, al otro lado de la mesa. Su camisa de seda negra era la misma que le vi a Luis Mary la tarde que nos encontramos. A ella le quedaba muy bien. Se volvió sobre el *fichero,* a su derecha, y colocó un dedo extendido sobre el borde de las tarjetas.

    – ¿Su nombre? – preguntó.

    – Es la primera vez que vengo.

    – Perdone, su cara me resultaba conocida.

    – Nos hemos visto esta mañana. En un entierro.

    Esperé alguna reacción, pero no hubo nada.

    – ¿En qué puedo ayudarle? – dijo.

    – Pensé que no la iba a encontrar aquí.

    – ¿Me buscó antes en otro sitio?

    – No.

    – ¿Entonces?

    – No es muy normal pasar consulta el mismo día

que entierran al marido de una, ¿verdad?

– ¿Usted qué cree?

– Bueno, creo que no.

– ¿De manera que usted no pasaría consulta a los dos días de quedarse viuda? – preguntó.

– No – respondí inquieto.

– ¿Y por qué?

– Porque no soy doctora.

Ella *frunció las cejas* y apretó los labios, componiendo de este modo la expresión de quien por fin ha conseguido entender algo difícil. Yo intenté reírme para ver si con la risa era capaz de escapar a ese diálogo *circular*. No pude.

círculo

– Esta conversación no nos lleva a ningún sitio – dije.

– Yo no podría ir hoy de todos modos – respondió.

– ¿Acaso cree que soy de la policía? – pregunté.

Se echó a reír y dijo:

– No, no, podría ser usted cualquier cosa menos policía.

– Fui amigo de Luis Mary.

– ¿Cómo te llamas? – preguntó descendiendo al tuteo con la *ingravidez* de una pluma.

---

fruncir las cejas, poner la frente de manera que las cejas se junten. Ver ilustración en pág. 138

circular, en forma de círculo, aquí fig.: que no es posible salir de ella

ingravidez, falta de peso

– Manolo.

– ¿Manolo Gurbina?

– Sí – contesté *resignado*.

La seda negra de su camisa resbalaba sobre su ropa interior, que era blanca, según había podido observar por el *escote* cuando ella se reía.

– ¿Podemos hablar fuera de aquí? – dije.

– Sí – contestó ella divertida –. Eras mi último paciente de esta tarde.

Frente a la mirada *rencorosa* de la enfermera, la ayudé a envolverse en una enorme *capa* con forma de *pétalo*.

Nos metimos en una cafetería. Ella dijo que tenía hambre y pidió *tortitas con nata* y café con leche. A mí me trajeron un Ginger Ale con whisky.

– Tú eres periodista, ¿no?

– Sí – respondí.

– Luis Mary contaba muchas historias tuyas. Al principio de oírselas me pareció que era muy poco

capa

---

resignado, sin capacidad para enfadarse porque está acostumbrado a este tipo de bromas

escote, *pétalo*, ver ilustración en página 54

rencorosa, con *rencor*, aquí, con poca amabilidad

tortitas con nata, una clase de dulce

respetuoso contigo. Pero luego advertí que te tenía un gran cariño que no sabía cómo manejar.

– Tú no pareces haber *lamentado* mucho su muerte.

– No seas *mojigato*. Todo el mundo sabe que llevábamos vidas muy independientes. Él andaba buscándose algo así para acabar y lo encontró relativamente pronto. Lamento su muerte en forma muy abstracta, como el viaje de un amigo, pero no me siento obligada a *modificar* mis *hábitos* ni a mostrarme triste.

– ¿Por qué os casasteis?

– Por cuestiones privadas, naturalmente. En cualquier caso, éramos dos personas maduras y ambos sabíamos lo que el otro nos podía dar y a qué precio.

– Esa frase es muy fría.

Sonrió.

– Ponle tú un poco de música si quieres.

– ¿Crees que se suicidó?

– ¿Qué más da que se matara a sí mismo o que pusiera a otro en la situación de matarlo?

– ¿Entonces crees que lo mataron?

– No lo sé. Me da igual aunque ya sé que hay por ahí una amiga vuestra, Teresa, que quiere que esto sea un asesinato.

– ¿Y qué hay de Campuzano? – pregunté.

– No sé. ¿Le pasa algo?

– Ya no. Ha muerto. ¿Lo conocías?

– Claro. Fue jefe del departamento de relaciones externas de los laboratorios Basedow. Era un hombre

---

lamentar, aquí: sentir y estar triste
mojigato, fam. se dice de la persona que muestra virtud o bondad exageradas
modificar, cambiar, aquí, las costumbres (= *hábitos*)

muy *competente*. Ahora dirigía una revista médica.

– ¿**Hipófisis**?

– Sí.

– ¿Por qué ese nombre?

– Supongo que porque dedicaba más espacio a la endocrinología que a otras especialidades.

– Sospecho que Campuzano también ha sido asesinado – dije –. Si es así, quizás te encuentres en peligro.

– No te preocupes por mí – dijo –. La mayoría de las veces no tiran a dar.

– ¿Qué quieres decir?

– Nada – contestó mirándome con expresión ausente. Y añadió: Eres un *atolondrado*. Por el modo en que preguntas las cosas se te podría contestar con la verdad o con un tiro de forma indistinta. ¿Te gusta *apostarlo todo a cara o cruz*?

– No apuesto de ese modo porque me guste el *riesgo*, sino porque desconozco las reglas. Me ha pasado su juego un amigo al que se le hacía tarde para que lo mataran; tenía tanta prisa, que no pudo explicarme de qué iba la cosa.

Levanté la ceja para *rubricar* la frase y la miré direc-

cara

cruz

---

competente, que hace bien su trabajo y entiende lo que se refiere a él

atolondrado, que obra sin reflexionar

apostar (=jugar, poner dinero) *a cara o cruz,* aquí fig.: a ganar o a perder

riesgo, peligro

rubricar, firmar, aquí fig.

58

tamente, muy serio, con intención de hacerla estremecer.

En seguida, comenzó a estremecerse de risa y yo me sentí un poco patético.

– Está bien; preocúpate si quieres – dijo –, pero deja que sea yo quien señale los aspectos cómicos de este asunto. Y ahora, si me perdonas, tengo que irme.

Me pareció insoportable la idea de que me abandonara. Dije:

– Te acompaño, si quieres.

– Déjalo, tengo el coche cerca.

Salimos. Fui con ella hasta el coche. Mientras abría la puerta, dije:

– Por cierto, Carolina, ¿sabes algo de una novela que había escrito o estaba escribiendo Luis Mary?

– Oh – dijo ella –, se pasaba la vida amenazando con escribir una novela, pero yo no creo que hubiera pasado nunca del segundo folio. De todos modos, Luis Mary conserva en la calle de *La Palma* una vieja *buhardilla* de su época de soltero donde solía pasar algunas tardes. Allí deben de estar sus cosas personales. Para mí resulta un poco desagradable, pero no tengo más remedio que ir algún día para *hacerme cargo de* todo. ¿Te importaría acompañarme? Tal vez encuentres los dos primeros folios de algo.

buhardilla

---

calle La Palma, calle de Madrid ver plano en pág. 62
hacerse cargo de, aquí preocuparse, recoger sus cosas

En ese momento supe que a Luis Mary lo habían matado, pues – conociéndole – resultaba difícil creer que se colgara en el salón de su casa familiar teniendo un agujero propio en algún sitio.

– Te acompañaré con mucho gusto – dije –. ¿Cuándo?

– Pasado mañana.

– Vale.

– Bueno, pues ven a buscarme a las ocho a la consulta.

– Hasta el jueves entonces, Carolina.

– Hasta el jueves.

Se metió en el coche y encendió el motor. Yo permanecí en la acera. Ella me miró, bajó la ventanilla y me invitó a *agacharme*. Creí que iba a darme un beso, pero me cogió el brazo con una mano cuyos dedos estaban llenos de *bisutería* cara y dijo:

– Hay una cosa, Manolo, ¿me ayudarás?

– Depende.

– Déjalo, entonces.

– Te ayudaré. Dime.

– Mira, yo sé que esa amiga vuestra, Teresa, *tuvo relaciones* con Luis Mary. Nunca me importó, pero es posible que Luis Mary le *confiara* alguna cosa que ahora me pertenece a mí. No puedo darte más explicaciones, pero me gustaría recuperar una cartera con

---

agacharse, doblar el cuerpo inclinándole hacia adelante
bisutería, joyas (= adornos hechos con materiales nobles como el oro) de imitación. Aquí, *sortijas,* ver ilustración en pág. 54
tener relaciones, usado en plural significa relaciones sentimentales
confiar, aquí: entregarle algo para que lo guarde o cuide de ello

cierta documentación y seiscientas mil pesetas en billetes de cinco mil. Es importante para mí y no sólo por el dinero. ¿Podrías mirar en casa de Teresa?

– Lo haré, no te preocupes.

– Gracias – dijo y me besó.

Se fue. Desde una cabina telefoneé a Teresa.

– Soy yo. Estamos todos en peligro – dije.

– ¿Qué pasa? – preguntó.

– Han matado a Campuzano. ¿Quieres venirte unos días a mi casa?

Me pareció escuchar ruido de vasos.

Dijo:

– Estuvieron aquí esta tarde, mientras salía a hacer la compra. Han revuelto todo en busca de la cartera.

– ¿Te han robado algo?

– No. No tengo miedo, aunque tampoco me queda paz, Manolo. Todo *se ha ido al cuerno* con la muerte de Luis Mary. Se echó a llorar.

 ← cuerno

– Escucha, no te pongas nerviosa. ¿Quieres que vaya?

– No. Bueno, sí. Haz lo que quieras.

– Cojo un taxi ahora mismo.

Detuve un taxi que pasaba y me fui a casa de Teresa.

---

irse al cuerno, fig y fam.: todo se ha estropeado

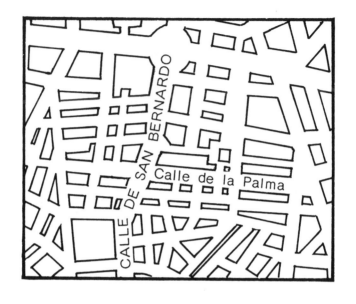

Preguntas

1. ¿Qué idea tiene Carolina de Manolo? ¿Qué refleja esta idea?

2. ¿Cómo se comporta Manolo en esta visita?

3. Comente la actitud de Carolina.

SEIS

El taxi me costó cuatrocientas pesetas. Calculé que la muerte de Luis Mary, entre taxis, invitaciones y horas de ausencia al trabajo, me estaba saliendo bastante cara. Decidí hacer una relación de gastos y cobrarme del medio kilo escondido en la cisterna. Quiero advertir que la idea me pareció *mezquina,* pero que la acepté porque forma parte de mi carácter esta inclinación hacia lo innoble que tanto detesto.

Encontré a Teresa llorando en el sofá, abrazada al teléfono. Junto a sus pies había un vaso volcado y una botella de ginebra destapada. Le quité el teléfono y lo coloqué en su sitio. Después me senté a su lado y la tomé por los hombros. No lloraba de miedo, ni de lástima. Lloraba de rabia, porque cuanto estaba ocuriendo le parecía injusto.

– Es como si alguien estuviera empeñado en hacerme daño a mí personalmente – me explicó.

– Estás exagerando Teresa.

Me levanté en silencio y fui al baño. Encontré un frasco de valium; pensé que con dos pastillas sería bastante. Regresé al salón.

– ¿Has bebido mucha ginebra? – pregunté.

– No, un par de *tragos.*

– Bien. Entonces, mira, tómate estas pastillas y te metes en la cama. Procura descansar, con este estado de nervios no podemos hacer nada.

– ¿Has averiguado algo? – preguntó tras coger las pastillas y tomárselas con otro trago de ginebra.

---

mezquino, miserable
trago, lo que se puede beber de una vez

– He visto a Carolina. Sospecha que tú tienes la cartera y pretende que yo la recupere para ella.

– ¿Qué le has dicho? – preguntó inquieta.

– Nada. De momento estoy haciéndole creer que voy a ayudarle. Ya veremos. El jueves la acompañaré a la buhardilla que tenía Luis Mary en la calle de La Palma.

– ¿Aún no ha ido Carolina?

– Dice que no.

– Es mentira. Si tanto le preocupara la cartera habría ido a mirar allí antes de decir nada.

– Ya lo he pensado.

– Lleva cuidado, Manolo. Creo que esa mujer es una mala persona.

Se levantó con dificultad, se fue al cuarto y se metió en la cama. Me acerqué y me incliné sobre su rostro. Le di un beso en la frente. Después salí de allí con el gesto miserable de quien abandona su adolescencia en cualquier sitio.

Llovía. La calle estaba desierta y húmeda, como la vida de algunos. Caminé hacia *San Bernardo* y tomé un taxi.

Entré en mi apartamento con algunas precauciones, pero no ocurrió nada. Todo estaba en orden, si exceptuamos que en la *taza* del retrete, flotando sobre la superficie del agua, pude ver la *boquilla* de un cigarro cuya marca no era la mía. Miré dentro de la cisterna: el dinero seguía allí. Me felicité por haber dejado la cartera en la redacción y me lavé los dientes.

San Bernardo, ver plano de Madrid en pág. 62
taza, boquilla, ver ilustración en págs. 44/45 y en págs. 88/89

Después me desnudé, encendí un cigarro y me eché sobre la cama. Eran las doce y media de la noche.

A las dos menos veinte el ascensor se detuvo en el tercero y escuché los pasos de dos o tres personas que se dirigían hacia la puerta de mi casa. Enseguida cogí de la mesilla el cuchillo falso y la mancha de sangre sintética y me coloqué ambas cosas sobre el pecho desnudo. Mientras yo hacía esto los dueños de los pasos *manipulaban* mi *cerradura*. Me coloqué atravesado en la cama, de forma bastante espectacular, pero cómoda.

Abrieron la puerta y entraron con *sigilo*. El *haz* de una *linterna* vaciló un par de veces en la puerta de mi cuarto. Permanecieron en el salón *cuchicheando*. Eran tres. Uno de ellos dijo:

– Venga. Enciende la luz. Vamos a despertarle y que se dé un susto para que *cante* mejor.

Encendieron la luz del salón, que iluminó también parte de mi cuarto a través de la puerta. Después los oí acercarse. Uno de ellos dijo:

– ¡Despierta, *cerdo*! – y encendió la luz.

linterna

haz

cerdo

---

manipular, mover con las manos
cerradura, ver ilustración en págs. 44/45
con sigilo, con mucho cuidado para no hacer ruido
cuchichear, hablar en voz muy baja
cantar, coloquial: hablar
cerdo, insulto muy fuerte

Durante unos segundos se quedaron mudos ante el espectáculo.

– Yo me largo.

– Yo también.

Ahora parecían dos. No podía verles la cara. Finalmente se oyó al tercero:

– Esperad un momento.

Se acercó a mí y me tocó el hombro.

– Está aún caliente. Me parece que nos hemos quedado sin cartera.

– Vámonos ya, que nos *cuelgan el mochuelo* a nosotros.

– Sí. Aquí no hay nada que hacer.

Salieron. Respiré. Sudé de miedo. Encendí un cigarro. No pude dormir. A las seis y media de la mañana aún no había amanecido, pero yo seguía despierto. Me *duché*, me lavé la cabeza y me *afeité*. Calenté leche y me tomé un café.

Cuando llegué a la redacción aún no funcionaban los ascensores. Subí andando y me puse a trabajar. A las nueve llegó el redactor jefe. Le entregué dos folios de algo y sonrió satisfecho.

mochuelo

---

colgar el mochuelo a alguien, echarle la culpa a alguien de algo
ducharse, tomar una ducha. Ver ilustración en págs. 44/45
afeitarse, quitarse el pelo de la barba

– ¿A qué hora suele venir Fernando? – pregunté.

– Está ahí. Ha subido conmigo.

Me acerqué a su despacho.

– Estudia eso y nos vemos dentro de una hora – dije señalando las fotocopias.

– Vale, vale; ahora llamo a mi amigo.

– El tema de tu amigo empieza a resultar patético, Fernando. Inventa otra cosa.

– No se me ocurre.

Di la vuelta y salí. Escribí algo y volví al despacho de Fernando.

– ¿Qué hay? – pregunté.

– Esto no vale nada, hijo. Ignoro lo que estabas buscando, pero te aseguro que no está aquí.

– ¿Lo has estudiado bien? ¿No hay alguna factura o algún documento que haga a esos laboratorios sospechosos de algo?

– Nada, querido. Es todo tan inocente, simple y vacío como el cerebro de tu redactor jefe.

– Está bien. Gracias.

– Toma, llévate los papeles.

– Tíralos. De todos modos tengo el original.

Durante una hora o dos anduve por la redacción un poco sorprendido de lo difícil que es llegar a saber la verdad de algo. Después fui al redactor jefe y le dije con gravedad:

– Tengo que irme.

– ¿A dónde?

– Se trata de una cuestión personal.

– Bueno – dijo agachando la cabeza – haz lo que quieras, pero a ver si se te pasa pronto la crisis.

Averigüé la dirección del difunto Campuzano. Salí a la calle y tomé un taxi. Fui. Una pequeña señora de negro, muy mayor, abrió la puerta y se echó a llorar.

– ¿Era usted compañero suyo? –preguntó al tiempo que me introducía en la casa.

– Más que eso, señora – respondí –, éramos amigos.

La señora se colgó de mi brazo y *lloriqueó* sobre él. Llegamos a una sala donde pude colocarme un poco alejado de ella.

– ¿Dónde está? – pregunté.

– No está aquí. Tuvieron que llevárselo para hacerle la *autopsia*.

– Verá, señora, yo era amigo de su...

– *Sobrino*.

– De su sobrino. Gracias. Los dos, como periodistas teníamos, aparte de nuestros deberes profesionales una afición secreta: la poesía. Él era un gran poeta, mejor que yo, tengo interés en reunir algunas cosas suyas para publicarlas como *homenaje póstumo*.

La señora había dejado de llorar y me miraba *atónita*.

– No sabía nada – dijo.

– Bien, era una cosa muy privada.

– ¿Pero la publicación de esas cosas no dañaría aún más la reputación de mi sobrino?

– Al contrario, señora. Servirá para revelarnos su humanidad, su grandeza de espíritu.

---

lloriquear, llorar

autopsia, examen del cadáver para averiguar la causa de la muerte

sobrino, el hijo de un hermano o de una hermana

homenaje, acto de honor a una persona, *póstumo,* hecho después de muerta la persona

atónito, con *asombro* (= mucha admiración y extrañeza)

– Entonces, venga conmigo – dijo a modo de conclusión.

Me llevó a un despacho grande.

– ¿Sabe dónde guardaba sus cosas personales? – pregunté.

– Aquí está todo. Pero como él llevaba muchos asuntos, que era muy trabajador, no le sé decir aquí está esto y aquí lo otro – dijo y se echó a llorar.

Le ofrecí mi brazo y la llevé a la sala. Volví al despacho y empecé a *registrar* la mesa. Cogí todo lo que estaba escrito y cuando no me cabían más cosas en los bolsillos me largué. Antes, quise despedirme de la señora, pero estaba dormida y me pareció más prudente dejarla así.

Cogí un taxi y pedí al taxista que me llevara al cementerio. El cadáver de Campuzano yacía en una *capilla ardiente* junto a la sala de autopsias. No vi a nadie conocido. Me acerqué a un señor bajito, que era de los más tristes y que se parecía mucho a Campuzano. Le dije:

– Perdón, amigo. *Deduzco* que es usted su hermano.

– Sí.

Le estreché la mano componiendo un gesto de *desolación*.

– Gracias, gracias.

---

registrar, mirar y buscar con mucho cuidado; *registro,* acción de registrar

capilla ardiente, lugar donde se celebran actos religiosos ante la presencia del *difunto* (= persona muerta)

deduzco, de *deducir,* sacar consecuencias de algo que se ve o se piensa

desolación, pena muy fuerte y grande

– ¿Conoce ya los resultados de la autopsia?

– Todo parece indicar que se quitó la vida.

– Vaya.

Unos minutos más tarde estaba ya cansado y aburrido de permanencer allí. De manera que decidí marcharme antes del entierro. Me dirigí a la salida. Al llegar afuera, vi el coche de Carolina haciendo *maniobras* para aparcar. Carolina iba dentro. No dejé que advirtiera mi presencia. Salió del coche y se dirigió a capilla ardiente.

Comencé a *atar cabos*, a relacionar cosas. Entretanto un taxi me llevaba a casa, donde intentaría recuperar un poco del sueño perdido durante la noche.

Preguntas

1. ¿Qué visita recibe Manolo y qué hace?

2. ¿Cuál es la causa por la que Manolo recibe esta visita?

3. ¿Por qué va Manolo a casa del difunto Campuzano? ¿Qué espera encontrar allí? ¿Cómo se comporta en esta visita?

---

maniobras, los movimientos necesarios

atar cabos, fig.: reunir *detalles* (= partes de un todo) para sacar una consecuencia

SIETE

El intento fracasó. Me puse a revisar los papeles de Campuzano. Había facturas, cartas, planos y tarjetas de visita.

Entre todas aquellas tonterías me llamó la atención un pequeño *muestrario* de papel. Las muestras eran del tamaño de una postal y estaban unidas entre sí por una *anilla* de plástico. Observándolas daban la sensación de constituir un proceso a través del cual un papel *basto* y algo *grueso,* iba adquiriendo, tras pasar por diferentes calidades, un *tacto* algo más *frágil,* pero poco común. Entre las tarjetas de todas las profesiones y colores encontré una de Carolina. Después de revisar estos papeles ya no tenía nada que hacer.

Me senté frente a la máquina de escribir y la golpeé hasta *dejar lista* la parte de arriba de este capítulo (los escritores siempre empiezan la casa por el tejado). Estaba tan nervioso que se me había olvidado fumar desde el cementerio; de manera que dejé de escribir y me puse a fumar. Con el tabaco me llegaron un par de ideas al cerebro. Pero me di cuenta de que no eran buenas. Cogí el teléfono y *marqué:*

– ¿Teresa?

– Sí – respondió al otro lado alguien que dormía.

– Soy Manolo.

---

muestrario, anilla, ver ilustración en págs. 44/45
basto, no fino
grueso, fuerte, no delgado
tacto, la sensación que se recibe al tocar, aquí, el papel
frágil, que se puede romper con facilidad; aquí: más fino o más delgado
dejar listo, dejar terminado
marcar, señalar en el teléfono un número

– Bueno.

– Mira, necesito saber cómo se llama el inspector que se *hizo cargo del caso*. Tel vez le haga una visita.

Escuché un ruido y se interrumpió la comunicación. Descolgaron a la señal número seis.

– Teresa, si no me ayudas, me retiro.

– Constantino Bárdenas – acertó a decir.

– ¿Cárdenas?

– No, Cárdenas, no; Cárdenas.

– Pues yo siempre te entiendo Cárdenas.

– Oh, déjame dormir.

La dejé dormir. De repente me dieron ganas de hacer un poco de limpieza y me puse a ello. La limpieza me llevó dos horas.

Me duché, paseé por la casa, fumé. Revisé de nuevo las tarjetas de visita de Campuzano. Seleccioné una que decía:

JOSÉ MENÉNDEZ CUETO
Departamento de investigación sobre el papel
Laboratorios Basedow

Telefoneé a los laboratorios Basedow y pregunté por don José Menéndez.

– El señor Menéndez no ha venido todavía – me contestaron.

– Mire, señorita, es muy urgente. Llamo del Ministerio, soy ayudante del secretario y tenemos que consultar una cosa con el señor Menéndez. ¿Podría darme su

---

hacerse cargo del caso, ocuparse del caso (= la muerte de Luis Mary)

teléfono particular?

– Espere – dijo algo *azorada*.

La *indecisión* de la telefonista se prolongó durante algunos segundos. Finalmente, aunque algo insegura, me dio la información.

– Oiga – añadió todavía un poco preocupada –, ¿de qué Ministerio dijo que llamaba?

– No se lo dije pero ponga el de Obras Públicas, por ejemplo.

– ¿Cómo dice?

– Obras Públicas.

Colgué y marqué el número de Menéndez. Estaba comiendo, pero conseguí que se pusiera al teléfono.

– ¿Señor Menéndez?

– Sí, yo mismo.

– Buenas tardes, soy Manolo Ge Urbina, periodista y, *accidentalmente,* investigador privado.

– ¿Cómo «accidentalmente»? – dijo para ganar tiempo.

– Lo digo en el sentido de que ha sido un accidente lo que me ha puesto en esta situación: un amigo mío que usted sin duda conocía ha sido asesinado. Se llamaba Luis María Ruiz.

Hubo un silencio. Esperé un poco y continué:

– También han matado a un enemigo mío, un tal Campuzano, que usted debió conocer también.

– No sé de qué me habla. ¿Quién es usted?

---

azorada, nerviosa y con algo de miedo
indecisión, duda, falta de seguridad
accidentalmente, de manera no fija, pero aquí juega con el otro valor de la palabra accidente = suceso

– Manolo Ge Urbina. El Ge significa García. Soy periodista y, accidentalmente, investigador privado. Necesito hablar con usted.

– Señor Ge, usted y yo no tenemos nada de qué hablar.

– A mí me da lo mismo – dije golpeando *al azar* – entrevistarme con usted o con el director de personal de los laboratorios Basedow. Pero pensé que le hacía un favor dándole el *privilegio* de escoger. Hubo un silencio muy breve.

– Está bien – dijo al fin –. Venga a mi casa ahora mismo. A las seis he de estar en los laboratorios.

Me dió la dirección. Cogí la *gabardina* y me fui.

Los taxis son caros, pero cómodos. Llegué enseguida. Me abrió el mismo Menéndez y me condujo a su despacho. A juzgar por los muebles el científico, de unos cuarenta y cuatro años, había llegado muy alto en la vida, pero eso no había conseguido hacer de él un hombre de gusto. Era alto y corpulento.

– Siéntese por favor – dijo.

– Gracias – respondí, y me senté al otro lado de la mesa.

– Usted dirá.

– Verá, señor Menéndez, hay en todo este asunto una serie de coincidencias que lo colocan a usted en una situación un poco *delicada*. Me miró fríamente. Yo me callé porque no estaba seguro de por dónde debía continuar.

---

al azar, sin saber bien qué debe decir
privilegio, aquí: posibilidad llena de ventajas
gabardina, ver ilustración en págs. 88/89
delicada, aquí: difícil

– ¿Qué sabe usted?

– Señor Menéndez usted no es quien para examinarme. Si se porta bien le dejaré colaborar conmigo. Si no, le enseñaré cierta documentación a un tal inspector Cárdenas. Claro que puedo llevarla al Ministerio de Hacienda y recibir una elevada recompensa.

Callé. El tal Menéndez parecía asombrado, pero no en el sentido que yo imaginaba. Lo advertí cuando añadí:

– Escuche, no me importa que sus laboratorios *estafen* los millones que quieran a la Hacienda Pública. Lo que me parece de mal gusto es que por una tontería así maten a mis amigos. De manera que, si usted está calculando cuál es mi precio, me adelanto a decirle que a mí sólo me interesa el asesino.

Cuando terminé de hablar, el gesto de asombro de Menéndez se había transformado ya en incredulidad. Me miraba con la tolerancia de un *verdugo* y yo advertí que había *metido la pata*.

– Siga usted – dijo sonriendo.

– Tengo aquí una tarjeta de usted. La encontré entre los objetos de Campuzano. Detrás hay una nota escrita que dice así. Leí: «Campuzano, consiga las tintas de la *relación* adjunta y hágalas llegar a la redacción de **Hipófisis**».

Lo miré para comprobar el efecto de mi nuevo golpe.

---

estafar, engañar cometiendo un fraude fiscal. Ver nota a *fraude* en pág. 35
verdugo, la persona que *ejecuta* (= hace) la pena de muerte
meter la pata, fam. y fig. aquí, hablar y obrar equivocadamente
relación, lista o nota en la que se explica algo, *adjunta,* que va con

– Siga – dijo.

– He venido a verle al azar – dije. Me ha llamado la atención y me ha parecido muy poético que unos laboratorios farmacéuticos tengan un departamento destinado a investigar el papel.

Menéndez sonrió. Luego dijo:

– Ese departamento no es una exclusiva nuestra. Lo tienen todos los laboratorios del mundo, se dediquen o no a la *elaboración* de productos médicos. Además nosotros vendemos tanto papel como medicinas. Cada uno de nuestros productos va metido en una caja de cartón y en todas ellas hay un papel más fino, el *prospecto*. El papel, pues, representa una parte importante de nuestro negocio.

– Nunca hubiera imaginado – dije fingiendo asombro – que la actividad farmacéutica fuera una *tapadera* para vender papel.

– Todas lo son – dijo riendo francamente. Usted como periodista me obliga a comprarle una hoja cada vez que me vende un artículo. Me pareció bien seguir exagerando y dije:

– En realidad, la vida toda es un montaje cuyo único objetivo es vender papel.

Esto último ya no le hizo gracia al tal Menéndez, por lo que comencé a pensar en otra cosa. Sin embargo, esta vez se adelantó él:

– Hay algo que me impresiona en usted – dijo con cierto misterio –, y es el *rigor* con el que se equivoca.

---

elaboración, fabricación

tapadera, fig. lo que sirve para encubrir

rigor, exactitud; aquí irónico: se equivoca de manera perfecta y exacta

Ha venido a verme sin saber lo que quería encontrar y se va sin encontrar nada que le interese. Pero eso no parece hacerle perder la calma. Le admiro, pero le aconsejo que no se presente con tan poco *respaldo* en otros sitios. Podrían tratarle peor que yo.

El cinismo de la última de sus frases pertenecía a alguien con poder suficiente como para *triturarme*. Supe que estaba amenazado de muerte. Maldije la memoria de Luis Mary y me fui de allí todavía intacto, pero intentando *conciliar* la idea de mi fracaso con la idea de mi muerte.

prospecto

Preguntas

1. ¿Qué encuentra Manolo entre los papeles de Campuzano? ¿Cree usted que es algo de interés?

2. ¿Qué hace Manolo al llegar a su casa?

3. ¿Por qué va Manolo a visitar a Menéndez Cueto? ¿Cómo transcurre esta visita y cuál es el resultado de la misma?

4. ¿Cuáles son los rasgos más representativos del carácter de Manolo? ¿Cómo le parece a usted su manera de obrar y de conducirse?

---

respaldo, fig. apoyo e información
triturar, deshacer hasta reducir a polvo
conciliar, poner en relación

OCHO

Por fin, llegó el día siguiente llamado jueves. La noche del miércoles había dormido mal, en parte por el miedo de que los *matones* de la noche del martes volvieran a visitarme. La verdad es que pensé irme a dormir a casa de mis padres, pero no había visto que ningún detective actuara así en las novelas ni en el cine. De modo que me encerré en mi cuarto y me acosté abrazado al teléfono, confiando en que, si los oía llegar, me diera tiempo a llamar a la policía.

Sin embargo no pasó nada. Me preparé un café, acabé el café y me senté a reflexionar unos instantes. Me marché después a la redacción y estuve toda la mañana escribiendo las mentiras habituales, aunque creo que conseguí darles, debido a mi prolongada *vigilia,* un toque de irrealidad que no me disgustó del todo. Fernando vino a verme un par de veces con la intención de sonsacarme qué era lo que investigaba en relación a los laboratorios Basedow. Telefoneé también a Teresa, que se encontraba en un estado de depresión cercano al hundimiento, y averigüé a través de ella la *comisaría* a la que estaba adscrito el inspector Bárdenas o Cárdenas, encargado del caso de Luis Mary. Opinaba yo que a estas alturas tenía en mi poder el número de datos suficientes para convencer a ese inspector de que la muerte de Luis Mary estaba rodeada de una cantidad de sucesos que deberían conducir a la reapertura del *sumario.* Para conven-

---

matones, aquí, los gorilas
vigilia, falta de sueño, de dormir
comisaría, oficina del *comisario* (= jefe) de policía
sumario, conjunto de actuaciones destinadas a preparar el juicio

cerme a mí mismo hice un breve repaso de los hechos: aventura de Luis Mary y mía en el teleférico, muerte de Campuzano, visita de los matones a mi apartamento, registro en casa de Teresa, actitud de Menénedez Cueto, jefe de investigación sobre el papel, en la entrevista que mantuve con él, y, en fin, la no menos inquietante actividad de Carolina en relación a todo ese *confuso acontecer.* A todo ello se podía añadir la existencia de seiscientas mil pesetas en una cartera que parecía buscar todo el mundo.

Sí, efectivamente, era hora de ponerse en contacto con la policía, sobre todo porque mi propia *integridad* física, y quizá también la de Teresa, corría un peligro *no imaginario.* Durante algún tiempo, y mientras permanecía con la mirada fija en una foto cuyo *pie* tenía que escribir, pensé en el modo de exponer todo esto al inspector Constantino Bárdenas o Cárdenas, pero no pude concentrarme en ello porque sentía colocados sobre mi los ojos del redactor jefe que me miraba como si tratara de averiguar cuál sería mi próxima indisciplina laboral. Finalmente pensé que quizá lo mejor sería dejarle al inspector el relato que había comenzado a escribir sobre la muerte de mi amigo.

Pero lo importante de todo esto, es que todos los hechos conducían hacia las ocho de la tarde, momento en que yo debería encontrarme con Carolina, la viuda de mi amigo, la mujer que había des-

---

confuso acontecer, confuso = no claro, *acontecer* = *suceder* (= todo lo que pasa)
integridad, cualidad de *íntegro,* aquí: entero físicamente
no imaginario, real
pie de foto, el texto escrito que acompaña a la foto

pertado en mí las *ansiedades* básicas que todo hombre maduro y solitario sueña poder sentir antes de que sea demasiado tarde.

Después de comer en mi apartamento me di un baño, me perfumé y me quedé dormido sobre la máquina de escribir. Cuando desperté eran las siete y cuarto de la tarde. Me lavé la cara, me perfumé otra vez cogí tres billetes de cinco mil de la bolsa donde estaba escondido el dinero. Cogí la gabardina y salí.

Conseguí un taxi en la esquina de *Cartagena* y a las ocho menos diez llegué a la consulta.

– Me están esperando – dije a la enfermera con una sonrisa *maliciosa*.

– Pase a la sala y siéntese – contestó sin mirarme.

Cuando Carolina terminó con su último paciente eran las ocho y diez pasadas. Llevaba ese día un vestido de lana gris con un escote en pico por cuyos límites *flameaba* el *estampado* de un breve pañuelo. Sobre ese vestido se colocó la capa con forma de pétalo que ya ha salido en otro lugar de este relato, y me llevó en su coche por un Madrid anochecido hacia el refugio

pañuelo
estampado

---

ansiedad, deseo
Cartagena, calle de Madrid, ver plano en pág. 95
maliciosa, de mala intención
flamear, fig. salía como una llama
estampado, con flores o dibujos

que perteneciera en vida a mi amigo Luis Mary. Cuánto la quise yo en estos momentos. Me pareció que ella era la primera aventura de mi vida y pensé que sería bonito matarla con cierta *delicadeza* en la buhardilla de mi amigo.

– ¿En qué piensas? me preguntó.

– Me parece raro que no hayas ido todavía a la buhardilla de Luis Mary, aunque sólo fuera por curiosidad – respondí.

– Los lugares de los muertos recientes despiden malas *vibraciones*. Conviene ir con alguien.

La buhardilla me pareció un desastre. Carolina se sentó en un *camastro* y miró a su alrededor.

– ¿Cómo me hago cargo yo de todo esto? dijo.

Había libros de todos los tamaños en todos los lugares. Los discos sin embargo estaban en una especie de sofá sin patas situado bajo una ventana.

La cocina y el *servicio* parecían *excavados* en la sucia pared del fondo y de ellos venía un olor insoportable.

– Yo no avanzo más – dije; a lo mejor hay algún muerto.

– ¿Y a quién le tocaría ahora? – preguntó sonriendo.

– Yo diría que al señor Menéndez Cueto, de los laboratorios Basedow.

– ¿Le conoces?

– Ligeramente.

– Bueno – dijo ella –, vamos a ver si es cierto.

---

delicadeza, con mucho cuidado
vibraciones, aquí movimientos que no se ven
camastro, cama que no está en orden y no es cómoda
servicio, W.C.
excavado, de *excavar,* hacer un hueco para ellos en la pared

Se levantó del camastro y me precedió hasta los lugares citados. No había ningún cadáver. No vimos la cartera allí, ni debajo del camastro, ni entre los libros. Yo busqué aunque sabía que no podíamos encontrarla, para *disipar* cualquier duda de Carolina en relación a mí. Al final, *agotados,* separamos unos discos y conseguimos sentarnos en el sofá. Sus *caderas* casi rozaban las mías. Ella llevaba en la mano un puñado de *cuartillas* que había recogido en algún sitio.

– ¿Encontraste al menos el manuscrito de la novela que buscabas? – preguntó.

– No – respondí –. ¿Qué es eso?

– Unas cuartillas que he encontrado por ahí. Mira lo que dice aquí: «argumento para una novela: el relato comenzará con mi propia muerte, una muerte algo *ambigua,* claro está; a partir de ahí sólo tengo que imaginar la reacción de las personas más cercanas a mí y *transcribirla adecuadamente*».

– ¿Qué más dice? – pregunté.

– Nada; siguen los poemas. La idea debió parecerle tan genial, que le liberó del esfuerzo de escribir la novela.

– ¿Te importa que *me lo quede?* Es . . . un recuerdo.

– Tómalo, a mí me sobran los recuerdos y además todos corresponden al mismo proyecto. Esa novela era la obsesión de su vida.

---

disipar, fig. quedar en nada una cosa, aquí: hacer desaparecer
agotado, muy cansado
cuartilla, cadera, ver ilustración en pág. 31 y en pág. 138
ambiguo, no claro
transcribirla, aquí escribirla; *adecuadamente* = de forma *adecuada* (= como convenga y como debe ser según el escritor)
me lo quede, me quede con ello

Carolina adivinó mi progresivo descenso a una suerte de miedo melancólico. De manera que me rodeó con sus brazos y me besó en la frente, pero yo era otro en esos instantes y ya no deseaba matarla ni quererla, sino alejarme de ella y acudir a Teresa, por cuyo pecho, en otro tiempo, se *diluía* mi temor a la vida como la nieve en el agua.

– Eres un sentimental – decía Carolina llenándome de besos. La viuda soy yo y tú el amigo encargado de consolarme.

– Perdona – dije –, enseguida se me pasa. Lamento que mi cinismo no esté a la altura del tuyo.

– No te preocupes. Lo comprendo. Por cierto, Manolo, ¿has hablado con Teresa acerca de la cartera que andamos buscando?

– Sí. No sabe nada.

– Yo sé que ella no la tiene, pero me parece muy raro que no sepa dónde está.

– ¿Y por qué sabes que ella no la tiene? ¿Encargaste tú el registro que hicieron en su casa?

Me miró sonriendo, pero me dijo:

– Mira, Manolo, te has metido en esto por casualidad. El azar te ha *proporcionado* una información que seguramente no sabes utilizar y cuya manipulación puede hacerte saltar en pedazos. Te aconsejo que no hagas tonterías.

– Sólo quiero saber quién *se cargó* a Luis Mary, Carolina.

Sentí que comenzaba a gustarme tanto como

---

se diluía, de *diluirse,* deshacerse
proporcionar, dar
cargarse, fam. por matar

cuando el miércoles anterior habíamos hablado en su consulta.

– Vámonos a cenar – dije.

– Cenaré contigo el día que consigas alguna información interesante sobre el *paradero* de esa cartera. Y mi consejo es que no te retrases demasiado – su sonrisa era ya una pura amenaza –; hay gente que carece de sentido del humor y no sabe apreciar tus *macabras* bromas.

– ¿A qué te refieres?

– Bueno, he oído decir que el otro día te encontraron asesinado en tu apartamento.

No contesté. Nos miramos. Ahora parecía asustada, aunque no sabía si por mí o por ella.

– Escucha – dijo –, no debería decirte todo esto, pero tengo miedo. Se trata de gente con la que un periodista metido a detective no puede bromear durante mucho tiempo. He conseguido pararlos hasta ahora, pero me están presionando demasiado – se echó a llorar –. Tu visita a Menéndez Cueto ha sido una *imprudencia*. He obtenido la promesa de que no se metan contigo ni con Teresa durante los próximos cuatro días, pero, si en ese tiempo no aparece la cartera, el asunto queda fuera de mis manos.

– Tú sabías que esa cartera no estaba aquí.

– Sí.

– ¿Y por qué has *fingido*? ¿Qué tienes que ver en todo esto, Carolina? – pregunté.

---

paradero, lugar donde *para* (de parar = detenerse) aquí: está
macabro, que tiene que ver con la muerte
imprudencia, falta de *prudencia* = buen juicio
fingir, dar a entender lo que no es como se muestra

– Soy bastante mayor para hacerme cargo de mis intereses. Sólo intento que seas capaz de hacerte cargo tú de los tuyos.

Había dejado de llorar. Como en la vez anterior, la idea de separarnos me pareció insoportable. Insistí, pues, en que cenáramos juntos.

– Cuando sepas algo de esa cartera – respondió volviendo a sonreir con la *frivolidad* que era habitual en ella.

La dejé en su coche y anduve dando patadas a las piedras durante una hora. Después entré en una cafetería y en el servicio quemé la cuartilla de Luis Mary donde aparecía la idea para una novela. Todo era negro en aquella hora de *humillación*.

Preguntas

1. ¿Qué piensa hacer Manolo?

2. ¿Qué hacen Manolo y Carolina en la buhardilla en la que vivió Luis Mary? ¿Qué buscan? ¿Qué encuentran? ¿Cuáles son los puntos fundamentales de su conversación?

---

frivolidad, ligereza, superficialidad
humillación de humillar, abatir (= hacer que baje) el orgullo de una persona

NUEVE

Al meter la llave en la cerradura intuí algo, pero seguí adelante. En seguida advertí que había luz en el salón. No me dio tiempo a retroceder; una mano me atrapó y consiguió arrastrarme al interior de mi casa. En el sofá había otros dos matones a los que no pareció impresionar nada mi llegada.

Sobre la mesita en la que yo solía colocar el café y los pies para ver la televisión había restos de pan, *queso,* un par de cuchillos, *mantequilla* y vino. Parecían satisfechos con el *aperitivo* a juzgar por el modo en que fumaban sus cigarros.

– ¿Les *apetece* tomar una copa? – pregunté *cortésmente.*

Se miraron entre sí como dudando si debían aceptarla o no. Finalmente, el que me había obligado a entrar en el apartamento contestó:

– La copa te la vamos a dar a ti, *gilipollas.*

Advertí que era el más listo de los tres. Este que digo se sentó en una *butaca* y sacó de un *maletín* que parecía pertenecerle, y qúe tenía a sus pies, mi colección de monedas; tras de ella, comenzó a sacar papeles. Me fijé un poco y vi que se trataba de los papeles que yo mismo había robado en casa de Campuzano.

– ¿De dónde has sacado todo esto? – me preguntó

---

aperitivo, algo que se toma antes de comer
apetecer, desear
cortésmente, de manera amable y educada (= con *cortesía)*
gilipollas, muy familiar, persona que hace o dice tonterías o que se comporta como un estúpido o un cobarde.
queso, mantequilla, butaca, maletín. Ver ilustración en págs. 88/89

cuando acabó de vaciar el maletín?

– Lo encontré en casa de un tal Campuzano, *falle-cido,* por cierto, hace unos días.

– ¿Lo encontraste?

– Eso te he dicho.

– No vuelvas a tutearme.

– ...

– No vuelvas a tutearme.

– No.

– De acuerdo. ¿Encontraste algo más?

– No, lo que hay ahí. Facturas, cartas y tarjetas de visita y nada más. La colección de monedas es mía.

– Era tuya. Hemos decidido *requisarla.*

– Bueno – dije.

No habían encontrado el dinero, por lo que deduje que eran más tontos que yo. Tampoco habían encontrado el muestrario de papel. Se trataba de ganar tiempo.

– ¿Puedo quitarme la gabardina? – pregunté con educación, sin *arrogancia.*

No obtuve respuesta y decidí quitármela de todos modos.

– El otro día – dijo el del maletín – no quisimos molestarte, porque te encontramos un poco muerto, atravesado por un cuchillo y con mucha sangre, pero hoy te vamos a *sacar las tripas* como te andes con bromas.

---

fallecido, muerto

requisar, aquí, coger y llevar algo en contra de la voluntad del dueño

sin arrogancia, aquí: sin mostrarse superior

sacar las tripas, matar. Ver ilustración en pág. 138

disco

cajón

gabardina

uilla

cenicero

colilla

mantequilla

queso

maletín

butaca

– ¿Son ustedes de la policía? – pregunté intentando parecer ingenuo.

– No, somos enfermeros, muerto de hambre. ¿Cómo prefieres que te rompa los dientes: uno a uno o todos de golpe?

– La verdad es que es una elección complicada. ¿No podríamos llegar a un acuerdo por el que quedara excluída, o aparcada al menos, esta parte de la negociación que se refiere a mis dientes?

– Hablas como un dirigente sindical, pero las *hostias* te van a doler como a un militante de base.

– Tiene usted muchos *recursos verbales* – dije sonriendo –; desde luego, muchos más que sus dos amigos.

Se levantó, me cogió por los hombros y me aplastó contra la librería.

– ¿Dónde está esa cartera que andamos buscando?

– Precisamente – dije – venía ahora de hablar con la doctora Carolina Orúe y hemos tocado ese tema. Le he dicho que ignoro el paradero de esa cartera, pero me he comprometido a colaborar en su búsqueda durante los próximos cuatro días. Excuso decirle que, si usted me maltrata mucho, esa colaboración resultará en la práctica imposible.

El matón dudó unos segundos. Luego me soltó y entró en mi dormitorio. Oí girar el *disco* del teléfono y escuché unas palabras *en sordina*. Al fin salió del dormitorio.

---

hostias, aquí: golpe o *tortazo* (= golpe dado en la cara con la mano abierta)
recursos verbales, capacidad para hablar bien. Irónico
disco, ver ilustración en pág. 88
en sordina, aquí: en voz baja

– Nos vamos. Pero quizá tengamos que volver dentro de cuatro días. Eso depende de ti y de tu amiguita Teresa.

Se marcharon. Vacié los ceniceros y recogí la mesa; después me entregué al miedo. Tuve un impulso de llamar a Carolina y quedar con ella para entregarle la cartera. De este modo, habría obtenido dos cosas: cenar con ella y quitarme de encima un asunto que comenzaba a producirme un desgaste excesivo. El recuerdo de Luis Mary me detuvo cuando ya había marcado tres números.

La cuestión relacionada con el asesinato continuaba siendo muy *confusa*. Cogí un papel y un lápiz y apunté:

● Luis Mary buscaba una *recompensa* del Ministerio de Hacienda en base a una denuncia que pensaba presentar relacionada con determinadas irregularidades *fiscales* de los laboratorios Basedow.

● Luis Mary aparece colgado en el salón de su casa.

● Se supone que la viuda registra inmediatamente la buhardilla de mi amigo en busca de una cartera que el azar acabaría por *depositar* en mis manos.

● Se supone también que Carolina habla con sus *cómplices* (pero sus cómplices de qué) y, presionada por éstos, o en colaboración con ellos, hace un plan de búsqueda dirigiendo sus primeras sospechas a Teresa.

● Entretanto, yo me presento en la consulta de la

confusa, no clara
recompensa, premio, aquí en forma de dinero, por algún servicio
fiscal, relacionado con el dinero
depositar, poner
cómplice, aquí: las personas relacionadas con los hechos

viuda y me identifico como un buen amigo de Luis Mary. Expreso también mis dudas acerca de las circunstancias de su muerte.

● Carolina ve entonces en mí el sujeto ideal para resolver las cosas sin violencia. Decide utilizarme como *intermediario* para recuperar la cartera que todos suponen en poder de Teresa.

● A pesar de ello los matones registran mi casa, aunque no se les ocurre mirar en la cisterna del retrete. Esa misma noche vuelven con idea de asustarme, pero me encuentran asesinado.

● La casa de Teresa es, a su vez, víctima de un registro.

● Comienzan a ponerse nerviosos, etc.

● La muerte de Campuzano no aclara nada, pero tiende a crear un *foco* de sospecha en la revista **Hipófisis** y en el departamento de investigación sobre el papel de los laboratorios Basedow.

● Parecía evidente que la clave de todo estaba en la cartera que yo tenía escondida en un cajón de la redacción. Sin embargo, allí no había más que un montón de papeles inocentes y un poco más de medio kilo en billetes de cinco mil. Nadie *arma tanto follón* por esa cantidad.

Telefoneé a Carolina. Estaba.

– ¡Hola! – me dijo. ¿Qué pasa?

– Tus matones han intentado maltratarme, pero invoqué tu nombre y me han perdonado la vida.

---

intermediario, el que actúa (=media) entre dos partes o personas
foco, fig. punto
armar, aquí: hacer; *follón,* aquí: complicaciones: todo el trabajo para encontrar la cartera

– La invocación de mi nombre no te servirá de nada dentro de cuatro días, Manolo.

– También me han robado mi colección de monedas.

– Me encargaré de que te la devuelvan, cuando nos des alguna pista sobre la cartera.

– ¿Qué puede haber en esa cartera que justifique tantos *atropellos?*

– Ya te lo dije, Manolo: papeles, papeles y un poco de dinero que ahora me vendría muy bien para *hacer frente* a los gastos del entierro de Luis. Por otra parte, si la cartera era de mi marido, ahora me pertenece a mí. Eso es todo.

– ¿Quién asesinó a Luis Mary?

– No vuelvas con eso, por favor.

– ¿Y a Campuzano?

– Se suicidó.

– ¿Tuviste acceso a la autopsia del forense?

– Sobre la de Campuzano no, sobre la de Luis Mary.

– ¿Y había restos de alcohol o de alguna droga?

– En las *vísceras* de Luis Mary habría habido rastros de alcohol, aunque hubiera madrugado para suicidarse. ¿Detrás de qué andas?

– Bueno, si se le suministró una droga o algo así, pudo haberse colgado él, pero inducido por alguien.

– Manolo, pierdes el tiempo buscando algo que no existe y descuidando la única búsqueda que te interesa: la de la cartera. ¡Buenas noches!

---

atropellos, aquí: violencias
hacer frente a, aquí: poder pagar
vísceras, las partes blandas del cuerpo contenidas en el tronco. Ver ilustración en pág. 138

93

Colgó. Mientras repasaba mentalmente el diálogo con Carolina, tuve una intuición: drogas. La cartera escondía en alguna parte droga cara (heroina o coca) cuyo precio justificaba el nerviosismo.

Era muy tarde, pero decidí ir a la redacción *a por* la cartera. Cuando salía sonó el teléfono.

– ¿Manolo?

– Sí, ¿qué hay?

– Soy Teresa. Estoy muy mal ¿Puedes venir a pasar la noche a mi casa?

– ¿Quieres decir que estás deprimida o que tienes *catarro*?

– Déjalo.

– No, escucha. En una hora estoy en tu apartamento. Colgué y salí.

Preguntas

1. ¿A quién encuentra Manolo en su casa cuando él llega? Comente los aspectos de esta visita que le parezcan más importantes.

2. ¿Cómo resume Manolo la situación? ¿Está usted de acuerdo con los puntos básicos que él señala?

3. ¿Cuales son, según usted, los aspectos más relevantes de esta situación?

---

a por, a buscar
catarro, enfermedad ligera que, producida por el frío, hace difícil respirar. Aquí irónico

MADRID

DIEZ

Bajé por *López de Hoyos* en dirección a *Velázquez*.
Alguien, que no trataba de ocultarse, me seguía.
Intentaría quitármelo de encima. Pasó un taxi. Lo
paré, subí y comenzamos a andar. El perseguidor se
quedó *desconcertado.* No había un taxi libre *a su alcance.*

Llegué a la redacción. La cartera estaba en su sitio.
La abrí y la vacié sobre la mesa. Era una de esas carte-
ras que han puesto de moda en los últimos años los

López de Hoyos, Velázquez, dos calles del centro de Madrid.
desconcertado, sorprendido
a su alcance, que él pudiera tomar en ese momento

ejecutivos de todo el mundo. Cogí un *cortaplumas* y empecé a despegar el *tapizado*. Detrás había una *lámina* de *goma espuma,* después otra de *cartón.* Detrás, no había nada. Devolví las cosas a su sitio y salí a la

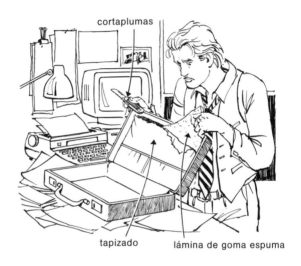

cortaplumas

tapizado   lámina de goma espuma

calle. Tomé un taxi. Llegamos a casa de Teresa. Pagué y en el ascensor revisé mi *cartera.* Todavía no había cambiado ninguno de los tres billetes de cinco mil que había cogido de la cisterna. La verdad es que me apetecía *inaugurarlos* invitando a cenar a Carolina.

Teresa me abrió la puerta y me invitó a pasar. Llevaba unos pantalones *vaqueros* y una camisa a *cuadros.* Debajo, no sé.

---

ejecutivo, director de empresa
cartón, especie de papel muy grueso
inaugurarlo, dar principio a algo
pantalones vaqueros, camisa a cuadros, ver ilustración en pág. 98

Nos sentamos en el sofá, enseguida me levanté y me serví un whisky. Dije:

– Para estar en el paro, tienes buen *surtido* de botellas.

– Pareces mi padre, Manolo.

– Perdona. Se me ocurrió que en el fondo de la cartera podía haber droga. Pero no había nada.

– ¿Has vuelto a ver a Carolina?

– Sí.

cartera,
billetero o billetera

– ¿Y qué?

– Nada. ¿Tú tienes alguna sospecha dirigida a alguien en concreto? – pregunté.

– No sé, no pienso en un asesino individual, sino en un complot. Me temo que uno de los *implicados* ya está muerto. Me refiero a Campuzano.

– ¿Por qué Campuzano? ¿Qué sabes de él?

– No lo conocí, pero Luis Mary me hablaba con frecuencia de él. Por lo que sé era bastante torpe, pero su situación como director de la revista esa...

– **Hipófisis.**

– **Hipófisis,** sí; pues esa situación le daba cierto poder como si a través de su puesto hubiera tenido *acceso* a alguna información importante. Al parecer

---

surtido, bastante cantidad
implicado, que toma parte en el asunto
tener acceso, llegar a poseer la información

era bastante utilizado por los que manejan el asunto.

– ¿Qué asunto? – pregunté.

– Pues lo del fraude que esos laboratorios hacían a Hacienda. La historia, para mí, empezó cuando echaron a Luis Mary de los laboratorios.

– ¿Lo echaron o se fue?

– Lo echaron – dijo –. Pero enseguida supieron que se había ido con una documentación importante. Entonces empezó todo. Yo creo que al principio sólo querían asustarle, pero Luis Mary, con su *insolencia,* consiguió que desearan matarle. En ese punto tuvo que jugar un papel importante Carolina.

– Explícate.

cuadro

pantalones vaqueros

insolencia, atrevimiento (de atreverse)

– Bueno, mi tesis es que Carolina se casó con él por las mismas razones por las que él se casó con ella: por pura *extravagancia*. La boda resultaba extravagante porque ella era una señora bien vestida y con una profesión socialmente reconocida, mientras que él era *un piernas* que a su edad aún no había tenido ningún trabajo estable. Quería ser escritor, pero también de una forma muy vaga. A mí me decía con frecuencia que estaba proyectando un novela en la que pretendía sacarnos a todos los amigos.

– No le tratas muy bien hoy – dije.

– Era un cerdo – respondió, y levantándose se fue hacia su cuarto. Esperé unos segundos y fui tras ella. La encontré sentada en el borde de la cama, llorando dulcemente.

– ¿Llevas muchos días encerrada aquí?

– Ya no tengo con quien ir a ningún sitio – respondió sin dejar de llorar.

– Otros salen porque no tienen con quién quedarse.

– No quiero que hablemos de nosotros.

– Acaba, pues, de contarme la historia.

Contuvo el llanto. Al poco, pudo hablar.

– Bien, ya sabes por qué la boda resultaba extravagante, aunque desde determinado punto de vista era una boda lógica. Yo creo que Carolina se casó con Luis Mary porque él *aportaba* a su vida ese grado de locura y de *indigencia* de que la gente de nuestra edad andaba enamorada. Y Carolina aportaba a la vida de

---

extravagancia, manera de obrar diferente a la normal
ser un piernas, persona que no sirve para nada
aportar, llevar
indigencia, pobreza

Luis Mary esa seguridad y ese reconocimiento social de que con el paso de los años, cada vez nos enamoramos más.

– Una boda de intereses – dije.

– De intereses *ideológicos,* sí – añadió y se quedó pensativa.

– ¿Qué piensas? – pregunté.

– En ese punto es donde comenzaría a ser interesante conocer las actividades de Carolina. Verás, imagínatelos casados, pero llevando cada uno una vida bastante distinta de la del otro. En esto, Carolina se entera por una *indiscreción* de Campuzano, que hay algo importante a investigar en los laboratorios Basedow. Interesa a Luis Mary en el tema y consigue una colocación para él en los laboratorios para que investigue, dirigido por ella, las zonas donde conviene hacerlo. Llega un momento en que la información que posee Luis Mary le coloca en una situación de poder respecto a Carolina. Además, en ese momento también, comienza a desconfiar de ella por alguna razón que ignoro.

– Pero ¿qué te *induce* a pensar en eso?

– Pues porque en ese punto es cuando Luis Mary empieza a venir por aquí con cierta *asiduidad* trayendo documentos y cosas para que yo se las guarde. Más tarde me contaría la historia y me prometería una parte de la recompensa. No confiaba en

---

ideológico, aquí: intereses no reales o prácticos sino del mundo de las ideas
indiscreción, falta de discreción (= prudencia)
inducir, aquí: llevar a
asiduidad, frecuencia

Carolina. Si te acuerdas, cuando tú lo encontraste en Rosales vigilaba la consulta de su mujer, de donde al fin salió Campuzano. Las imprudencias de Luis Mary y su evidente ocultación de datos ponen nerviosa a Carolina, quien decide *pactar* con los *gerifaltes* del laboratorio en base a la información que ha llegado a obtener por medio de su marido. Una de las *cláusulas* de ese pacto incluye, seguramente, la muerte de Luis Mary. Pudo haberlo matado el mismo Campuzano o pudo haberlo hecho la misma Carolina. No creo que para un endocrino resulte difícil utilizar cualquier tipo de sustancia *tóxica* que pase inadvertida en la autopsia que se suele hacer a un *presunto* suicida. Para colgar al *moribundo* de una soga no hacían falta más que dos o cuatro brazos de mediana potencia.

– Lo has explicado muy bien. ¿Crees que será útil hacer una visita al forense que se encargó de la autopsia?

halcón o gerifalte

---

pactar, ponerse de acuerdo
gerifalte, fig. aquí: los jefes
cláusula, frase por la que en algunos documentos se dispone algo; aquí: condición
tóxica o *venenosa,* que puede causar la muerte
presunto de *presumir* (= suponer). Ver nota a presumir en pág. 11
moribundo, que está a punto de morir

– Tú eres el investigador, Manolog – respondió metiéndose entre las sábanas.

Volví al salón, cogí la gabardina y salí. En la calle tomé un taxi.

Preguntas

1. ¿Cómo ve Teresa la situación?

2. ¿Qué diferencia hay entre la manera que tiene Teresa de explicar la situación y la manera de enjuiciar los hechos que tiene Manolo?

ONCE

Al día siguiente llamé a la redacción de la revista y anuncié que no iría a trabajar por encontrarme enfermo. Tomé un café y marqué el número de la comisaría a la que estaba adscrito el inspector Constantino Bárdenas o Cárdenas, encargado del caso de Luis Mary. Me pusieron con él.

Me presenté como Manolo G. Urbina, un periodista amigo del presunto suicida, que había recibido graves amenazas por investigar la muerte de don Luis María Ruiz. Le conté el resultado de mis pesquisas haciéndole ver que tenía en mi poder el número de datos preciso para provocar la reapertura del sumario.

El inspector Bárdenas o Cárdenas me escuchó *pacientemente*. Cuando acabé de hablar, dijo:

---

pacientemente, con paciencia

– Mire, señor Ge Urbina, yo no sé si usted quiere presentar una denuncia acusándonos al forense y a mí de *negligencia* en el cumplimiento de nuestros deberes o, por el contrario, me está pidiendo un consejo sobre cómo actuar a la vista de los nuevos datos que asegura poseer.

Me apresuré a decirle que lo que yo buscaba era un consejo y el inspector respondió que lo mejor es que hiciera un informe escrito de cuanto le había contado y que se lo llevara a Comisaría al día siguiente o al otro. Insistió en que en ese *guión* describiera físicamente a los que habían registrado mi apartamento, y dejara bien explicadas las relaciones que a mi modo de ver había entre la muerte de Campuzano y la de mi amigo.

Quedé en que se lo llevararía al día siguiente, pues habiendo recibido de los matones (de Carolina, más bien) un plazo de cuatro días a partir del anterior, creí prudente por mi seguridad personal y por la de Teresa *acelerar* los planes antes de agotar ese plazo. El inspector estuvo de acuerdo y, aunque no pareció preocuparse mucho por las amenazas de que Teresa y yo habíamos sido objeto, me aseguró que a la vista de ese informe, decidiría las acciones precisas para mi seguridad y la de mi amiga.

Nos despedimos y colgué el teléfono. Me senté frente a la máquina de escribir dispuesto a redactar el informe. A los dos folios me di cuenta de que avan-

---

negligencia, descuido
guión, escrito en el que escriben brevemente algunas ideas
acelerar, obrar más deprisa

zaba despacio y con dificultad debido a que la frialdad del lenguaje que intentaba emplear *eliminaba* las *conexiones* lógicas entre unos hechos y otros. La angustia comenzaba a atacarme cuando recuperé una idea expuesta en un capítulo anterior: le dejaría al inspector el original del texto novelado que había comenzado a escribir al comienzo de mis investigaciones. Le dejaría, pues, este texto, esta novela a medias que él debería ayudarme a terminar. La idea me proporcionó cierta euforia. He de confesar que el hecho de haber encontrado un lector para esta primera novela *halagó mi vanidad* de escritor fracasado. Liberado de la redacción del informe, me encontraba con el día libre.

Telefoneé a Carolina y conseguí arrancarle una cita para comer ese mismo día con la promesa de que había reflexionado sobre la entrega de la cartera, pero que quería discutir con ella algunos puntos. Empleé el resto de la mañana en hacer cosas inútiles tales como intentar recomponer el puzzle del crimen con los datos que tenía. La idea del asesino colectivo expuesta por Teresa me parecía cada vez más lógica. Si embargo desde el lugar que me había tocado ocupar a mi en todo el *lío*, era más completa y bella la idea del asesino individual. La cosa es que la tesis de Teresa me parecía inteligente, pero la mía me parecía bella. El asesinato era sin duda una unidad lógica pero tenía

---

eliminar, hacer desaparecer
conexión, lo que une, aquí: relación
halagar la vanidad, hacer que alguien se sienta orgulloso de algo
vanidad, alto concepto de sí mismo
lío, asunto complicado

en uno de los hilos de su *trama* algo que correspondía a una *venganza* histórica: era justo que Luis Mary muriera, porque su muerte hacía de mí un hombre. Liberado, al fin de su *perpetua* amenaza, podría comenzar a escribir una novela. Los dos vivos no habríamos llegado a nada; muerto él yo me haría escritor.

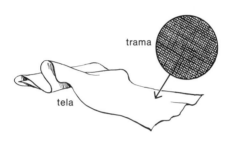

Con estos pensamientos asesinos me llegó la hora de salir. No vi ningún taxi. Subí hasta López de Hoyos donde había una parada y tomé el primero de la fila. Un hombre de abrigo marrón que me seguía tomó el siguiente. Di la dirección del restaurante donde había quedado con Carolina y encendí un cigarro. El taxista llevaba la radio encendida y desde los estudios centrales de Radio Madrid un locutor anunciaba a los oyentes la transmisión en directo de una *matanza* desde no sé qué pueblo de Cáceres. Los estudios cen-

---

trama, hilos que se cruzan formando la *tela.* Aquí, fig.
venganza, satisfacción que se toma por el daño recibido
perpetua, constante
matanza, de matar. Todo lo relacionado con los días en que se matan los cerdos en los pueblos lo que constituye una fiesta

trales conectaron con una emisora local desde la que un locutor narraba el ambiente que rodeaba la matanza.

En un *alarde* de agilidad periodística, el locutor de los estudios centrales hacía preguntas relativas al peso del cerdo que se iba a sacrificar o a su estado de ánimo en aquellos momentos que precedían a su fin.

Yo permanecía en el fondo del taxi profundamente angustiado, fumándome el cigarro y deseando que todo acabara de una vez. En esto, cuando el de Cáceres anunciaba el momento supremo el de Madrid preguntó: «¿Podrías acercarle el micrófono al cerdo?».

Le rogué al taxista que cambiara de emisora.

– Estas cosas de sangre me ponen malo – dije.

– Eso depende de con quién se identifique uno – dijo.

Pensé que lo más prudente ante aquel insulto era callarme. Pero antes de llegar al restaurante encendí otro cigarro y le quemé un poco la tapicería.

Preguntas

1. ¿Cuánto tiempo ha pasado desde la muerte de Luis Mary?

2. ¿Cuánto tiempo lleva Manolo investigando la muerte de Luis Mary?

---

alarde, muestra

DOCE

Entré en el restaurante y dejé la gabardina en el guardarropa. Carolina ya había llegado y estaba bellísima. Me senté frente a ella y nos sonreímos. El tipo del abrigo marrón se colocó en una mesa bastante alejada de la nuestra.

– ¿Conoces a aquel *vigilante*? – pregunté.

– No ¿Desde cuándo te sigue?

– Desde que salí de casa.

– Debe ser un profesional.

– Quién lo paga?

– *Qué más da* eso. Los que mandan.

Pedimos una comida *ligera*, aunque exquisita, con la que nos entretuvimos sin necesidad de hablar mucho. En el café, finalmente *abordó* ella la cuestión:

– Creo que *concertamos* esta entrevista para hablar del modo en que pensabas entregarnos la documentación y el dinero de la famosa cartera.

– Sí.

– ¿Y qué hay de eso? – insistió.

– Verás – respondí –, nosotros creemos que el valor de esa cartera es grande a juzgar por los esfuerzos que estáis haciendo tus amigos del laboratorio y tú para recuperarla. Creemos que su entrega merece una recompensa.

– Estaba algo extrañada de que hasta el momento

---

vigilante, que vigila (= observa) algo
qué más da, qué importa
ligera, sencilla y no fuerte ni en mucha cantidad
abordar, tocar el tema
concertar, ponerse de acuerdo

no hubieras mencionado la posibilidad de un *rescate*. Luis Mary me habló con frecuencia de tu afición al dinero.

– No quiero nada para mí, pero creo que es justo que Teresa obtenga algún beneficio. Llevaba tiempo trabajando con tu marido en un asunto que le iba a dejar bastante dinero. Creo que bastaría con un par de millones para que pudiera salir adelante por el momento. Carolina encendió un cigarro y se puso a pensar. Luego amenazó:

– Estáis jugando con fuego.

– Vosotros también – respondí –; de otro modo ya habríais acudido a la policía.

– Está bien – dijo poniéndose muy seria –, es una decisión que no puedo tomar yo sola. Lo consultaré y te diré lo que piensan los otros. Llámame esta noche.

– Preferiría que quedáramos a cenar.

– Yo no.

– Da lo mismo. Como te decía no pretendo obtener ningún beneficio económico de este asunto. Pero, ya ves, tengo el capricho de que cenemos juntos, y ésa es mi condición para seguir adelante con las negociaciones.

Carolina sonrió y dijo.

– Los beneficios de orden sentimental nunca se obtienen por la fuerza.

No respondí. Pagué y nos fuimos tras quedar esa noche a las diez, en el mismo restaurante. La acompañé a su coche y después comencé a pasear sin rumbo fijo. El tipo del abrigo marrón me seguía. Entré

---

rescate, dinero que se da para recobrar algo

en una cabina telefónica y llamé a la redacción. Pregunté por Fernando. Se puso.

– Oye, que nadie se entere de esta llamada porque oficialmente estoy enfermo. ¿Tiraste las fotocopias de la documentación que te di el otro día?

– No, querido, yo nunca tiro nada.

– Bueno: hazme un favor: recógelas y espera a que te llame de nuevo.

– De acuerdo.

– Adiós.

Salí de la cabina y tomé un taxi. El del abrigo marrón estaba en la acera. Estaba sonriendo y me decía adiós con la mano. Había dado una dirección cercana a la revista y desde allí volví a telefonear a Fernando, que bajó enseguida.

– ¿A dónde vamos? – preguntó.

– A la Delegación de Hacienda más cercana – dije.

– ¿Con esta documentación?

– Sí.

– Bueno, mira, se van a reir de nosotros. Voy a llamar a un inspector de Hacienda que conozco y, si nos puede recibir, el asunto resultará menos *violento*.

– De acuerdo.

Se metió en la cabina desde la que le había llamado yo y salió a los dos minutos con una sonrisa de triunfo.

– Nos está esperando.

Cogimos un taxi y nos dirigimos al Ministerio. En el Ministerio tuvimos que pasar cinco controles, subir cuatro pisos. Al fin llegamos a un despacho donde nos recibió un ejecutivo de cuarenta años que abrazó a

---

violento, aquí difícil y un poco ridículo

Fernando y me *estrechó* la mano.

– Verás – dijo Fernando – Manolo trabaja conmigo en la revista y está investigando un supuesto fraude fiscal de los laboratorios Basedow. Ha conseguido una documentación que yo creo que no sirve para nada, pero que queríamos enseñarte.

Fernando abrió una *carpeta* y puso sobre la mesa los papeles. El inspector los recogió y salió del despacho. Volvió y dijo que aquello no servía para nada. Nos fuimos.

Acompañé a Fernando a la redacción y le di la llave de mi mesa pidiéndole que me bajara a la calle la cartera que había en uno de los cajones. Me la bajó, le dí las gracias y me fui a casa tras de rogarle que conservara él las fotocopias.

Cuando llegué a mi apartamento estaba sonando el teléfono. Era Carolina.

– ¿Qué hacías en el Ministerio de Hacienda? – preguntó riéndose.

– Creí haber *despistado* a tu perseguidor – dije y añadí: ¿Qué hay de nuevo?

– He consultado tu propuesta y les parece correcta. De manera que lleva esta noche al restaurante la cartera.

– ¿Qué llevarás tú?

– Un cheque al portador de dos millones.

– De acuerdo, estaré en el restaurante a las diez, con la cartera. Telefoneé a Fernando. Se puso.

---

estrechar, dar la mano como saludo
carpeta ver ilustración en pág. 113
despistar, hacer perder la pista, desorientar

– Oye, soy Manolo otra vez. ¿Podrías hacerme un favor?

– Estoy apasionado con tu historia. Tu dirás.

– Ven a mi casa a eso de las nueve y te lo explico.

– Vale.

– Adiós.

Saqué el dinero de la cisterna y lo metí en la cartera junto a la documentación. Me quedé las quince mil pesetas que llevaba en el billetero y que pensaba estrenar esa misma noche invitando a cenar a Carolina.

Fernando llegó a las diez menos veinte. Iba a darle la cartera pero luego lo pensé mejor y trasladé los papeles y el dinero a una carpeta roja. Le indiqué que saliera de mi casa con la carpeta un cuarto de hora después de que hubiera salido yo, que fuera al restaurante donde yo estaría cenando con Carolina y que ocupara una mesa algo alejada de la nuestra.

– ¿Y después qué? – preguntó.

– Cena y espera mis instrucciones – respondí, y cogiendo el abrigo salí en dirección al restaurante con la cartera vacía en la mano. Si alguien intentaba quitármela por el camino, se *llevaría un chasco* y romperíamos las negociaciones.

---

llevarse un chasco, quedar burlado, *chasco* = burla

TRECE

La calle estaba oscura. Cogí un taxi en la esquina de López de Hoyos con la conciencia de que estaba muy próximo mi regreso a los transportes públicos.

El restaurante estaba más lleno que a la hora de comer, pero aún quedaban mesas libres. Vi a Carolina en el mismo lugar que habíamos ocupado algunas horas antes y me acerqué a ella con gesto de preocupación.

– Perdona por el retraso – dije sentándome –, me llamaron por teléfono cuando ya iba a salir.

– No te preocupes. Me he entretenido con un aperitivo.

Estaba otra vez insoportablemennte bella. Cominos sin hablar, como *traspasados* por un sentimiento que iba más allá del afecto. En el segundo plato vi entrar a Fernando con la carpeta roja bajo el brazo. Se situó en un rincón y *desplegó* un periódico que no leyó por más que intentara provocar esa apariencia.

En los *postres* me permití una descarga sentimental. Dije:

– Me gustaría que el fin de estas negociaciones no significara también el fin de nuestra relación. Podríamos vernos en el futuro con alguna frecuencia.

– Carolina miró la cartera que yo había puesto a mis pies, entre los dos, y respondió:

– Espero que no falte nada.

– No faltará nada.

---

traspasados, atravesados, aquí: dominados por
desplegar, desdoblar
postres, fruta o dulce quue se come al final de las comidas

– Si es así nuestra relación puede continuar, pero yo preferiría mantener contigo, más que una relación personal, una relación profesional.

– ¿Qué me estás proponiendo?

– Podrías ser paciente mío. Tu *páncreas* no funciona bien y convendría revisarlo.

– ¿Por qué dices eso?

– Tus confusiones sentimentales son típicas de sujetos afectados por algún tipo de *disfunción glandular*.

Volvió a reirse con una extraña colaboración por parte de los ojos y añadió que le encantaba ser un poco mala conmigo.

Pedimos una copa y, mientras la tomábamos, sacó un cheque del bolso y lo deslizó hacia mí a través del *mantel*. Al portador, dos millones y debidamente *con-*

mantel   carpeta

---

páncreas, glándula (= órgano del cuerpo) una de cuyas partes produce la insulina que impide que el nivel de azúcar en la sangre pase de lo normal; la otra parte produce un jugo (= líquido parecido a la saliva) que ayuda a la *digestión* (= transformación de los alimentos) ver ilustración en pág. 138
disfunción, mala función

formado por el banco *contra el que se libraba*. Mientras yo comprobaba esto, ella cogió la cartera negra y la abrió. Por primera vez, desde que la conocía, la vi *tambalearse* ante el engaño. Primero fue un gesto de *decepción;* enseguida uno de miedo; finalmente, una mirada furiosa que alteró sus *facciones* se posó en mis ojos. Disfruté del espectáculo unos segundos. Después dije:

– No te preocupes, intentaba prevenirme de que alguno de tus matones me arrebatara la cartera antes de llegar al restaurante.

Guardé el cheque en mi billetera, me levanté, fui hasta la mesa ocupada por Fernando y recogí la carpeta. Fernando me preguntó:

– ¿Cómo va todo?

– Bien – respondí –, puedes desaparecer cuando quieras.

Volví a mi mesa con la carpeta. Carolina la abrió haciendo una revisión superficial.

– De acuerdo – dijo –. Ahora ya podemos irnos.

Creo que el hecho de haber perdido momentáneamente los nervios la había puesto furiosa.

– No te enfades – dije –; no *tienes la exclusiva* de todas las maldades. Me miró y sonrió con cierto afecto. Dije:

---

conformado, que lleva el sello o firma de que el banco está *conforme* (= de acuerdo)
librar, aquí: dar, extender
tambalearse, aquí: perder la seguridad
decepción, disgusto causado por un engaño
facciones, los rasgos de la cara
tener la exlusiva, en el comercio: ser el único que puede trabajar con un producto. Aquí, fig.

– No entiendo por qué tanto interés por esa documentación. Por otra parte, puedo haber hecho fotocopias y utilizarlas en el futuro para un nuevo intercambio.

– Digamos que confío en ti – dijo volviendo la mirada hacia una mesa donde dos gorilas consumían su tercer postre. A propósito – añadió señalando discretamente a Fernando –, no habrás complicado a nadie más en todo esto.

– No te preocupes, no sabe nada.

Le propuse que fuéramos a tomar una copa a otro sitio y se mostró conforme, aunque quería pasar un segundo por su casa para dejar la carpeta. Pedí la cuenta y estrené uno de los billetes de cinco mil. Tardaron en traerme la vuelta una eternidad, que yo empleé en fantasear sobre las posibilidades de esa noche.

La calle estaba más desierta que mi vida, a pesar de que todavía no eran las doce. Nos dirigíamos a su coche cuando un par de sujetos bien vestidos salieron de algún sitio a nuestro encuentro. Se *identificaron* con cortesía aunque con dureza, como policías y nos rogaron que les acompañáramos. A Carolina le quitaron la carpeta roja, y a mí la cartera vacía. Luego nos introdujeron en un coche que había en las cercanías. Cuando me *repuse del susto* pregunté.

– ¿No será esto un nuevo truco de tus amigos?

– Eres un *imbécil,* Manolo – respondió ella con serenidad.

---

identificarse, mostrar y demostrar quiénes son
reponerse del susto, tranquilizarse; *susto,* impresión de miedo
imbécil, poco inteligente

– A callarse – añadió uno de los presuntos policías.

Cuando vi que entrábamos en una dependencia anexa a la Dirección General de Seguridad, logré tranquilizarme un poco, pues mi temor era haber caído en manos de unos *liquidadores* profesionales. En realidad, pensaba, yo no tenía nada que temer ni nada que no pudiera explicar a la policía, aunque el cheque que llevaba en el billetero no dejaba de constituir una preocupación, porque aún ignoraba a cambio de qué me había sido entregado.

Nos separamos en uno de los infinitos pasillos que tuvimos que recorrer antes de llegar a nuestro destino. A mí me introdujeron en una habitación mal amueblada, donde había un mecanógrafo y un policía muy bien peinado.

– Nombre y apellidos – ordenó.

– Manolo G. Urbina.

– ¿Ge es un apellido o un modo particular de reirse?

– No, no –corregí asustado –, corresponde a García. Es que soy periodista y suelo firmar así.

El mecanógrafo parecía escribir todo lo que decía.

– De modo que eres periodista – insistió el policía descendiendo al tuteo de forma algo agresiva.

– Bueno, en realidad trabajo para una importante *revista del corazón*. Quizá hubiera sido más apropiado decir que soy escritor.

– Entonces, *quedamos en* que escritor, ¿no es eso?

---

liquidador, que liquida = mata

revista del corazón, publicacción periódica e *ilustrada* (= con fotografías) de contenido ligero y en relación con la vida de personas públicas o populares, como los políticos o los que trabajan en el cine o en el teatro (= *estrellas*)

quedar en, ver nota a *quedar con* en pág. 13

– Sí, sí, es más propio. No trato temas políticos ni sociales, sólo hago artículos y reportajes sobre actrices de cine y cosas así.

– Escritor, entonces.

– Eso es – respondí *aliviado*.

– ¿Y la señora que iba contigo?

– Es médico. Quedó viuda hace poco. Supongo que todo esto es una confusión.

– Ya veremos. Eso lo tiene que decidir el que entra de servicio a las ocho.

– ¿Quiere decir que voy a pasar aquí la noche?

– Sí, pero te podremos *cómodo*.

– Tengo derecho a llamar a un abogado.

– Bueno, tendrías derecho, si te hubiéramos detenido, pero esto es más bien una retención, ¿comprendes?

A continuación me obligó a vaciar los bolsillos y a quitarme el *cinturón*, los *cordones* de los zapatos y la corbata.

– Es para que no te ahorques – dijo.

El mecanógrafo, entretanto, tamaba nota de mis *pertenencias*. Cuando sacó el cheque del billetero, dijo en voz alta:

– Un cheque al portador de dos millones de pesetas.

– ¿Y eso? – preguntó el policía.

– Negocios – respondí.

– Vale, *tío,* mañana estarás más *despejado.*

---

aliviado, más tranquilo
cómodo, aquí: en un lugar donde pueda estar bien y a gusto
cinturón, cordón de zapatos, ver ilustración en pág. 12
pertenencias, lo que le pertenece = sus cosas
tío, por 'hombre' es de uso reciente
despejado, claro. Aquí: serás capaz de explicarlo mejor

Tocó un timbre y apareció un policía *nacional*.

– Dale una manta a éste y ponle en un sitio donde se encuentre cómodo. Es *universitario*.

El *calabozo* en el que me encerraron, sin ser *acogedor* tenía algo de *hospitalario, pese al* frío. Me senté en el camastro e intenté pensar sobre mi situación.

Preguntas

1. ¿Cómo transcurre la cena en el transcurso de la que Carolina y Manolo van a resolver algunas cosas?

2. ¿Qué relación existe entre ellos?

3. ¿Cómo termina la cena? ¿Han logrado resolver los asuntos? ¿Por qué termina así?

---

nacional, en España cuerpo armado que depende del Ministerio del Interior; está encargado de la seguridad en las ciudades
universitario, alude a las tensiones entre los universitarios y la policía en los años del franquismo
calabozo, lugar de la cárcel en el que está el preso
acogedor, cómodo
hospitalario, agradable
pese a, a pesar de

CATORCE

Me desperté unas quince veces a lo largo de la noche. Al amanecer, sin embargo, me entró sueño y me quedé profundamente dormido. A las ocho y media alguien dio un grito desde la puerta de mi *celda* y me levanté. Mi traje estaba *arruinado* y mi cuerpo *molido*. Me condujeron a la habitación donde había sido interrogado la noche anterior.

Fui invitado a sentarme frente a una mesa sobre la que vi la documentación que le había vendido a Carolina, así como el medio kilo de billetes de cinco mil. También estaba el cheque de dos millones que había pensado regalar a Teresa. Al otro lado de la mesa había un inspector muy bien arreglado y revisaba los papeles. Un mecanógrafo ocupaba, a mi derecha, el lugar del mecanógrafo de la noche anterior.

El inspector comenzó a hablar:

– Disculpe que no le permitieran ayer ponerse en contacto telefónico con nadie. Es el problema que tenemos siempre con las retenciones.

– Mire usted – dije con la insolencia que me daba el cansancio –, esto ha sido una detención ilegal en toda regla. Y no me importa, no pienso emprender ninguna acción legal, pero déjeme que me marche, porque tengo muchas cosas que hacer esta mañana.

– Sin embargo, me gustaría que habláramos un poco de todo esto – dijo señalando con los ojos los papeles que había sobre la mesa.

---

celda, calabozo
arruinado, aquí en muy mal estado
molido, con muchos dolores

– Verá usted – dije con gesto de infinita paciencia –, no pienso hablar de nada con nadie. No tengo nada que temer; no soy un *delincuente*. Por otro lado, trabajo en una revista de gran *tirada* que podría publicar la semana que viene un reportaje sobre el modo en que la policía trata a los ciudadanos decentes.

– ¿Es Carolina Orúe una ciudadana decente? – preguntó.

– No hablo por esa señora, sino por mí. Desconozco si la viuda de mi amigo (porque es la viuda de un amigo mío) tiene algo pendiente con la justicia, pero sus deudas, desde luego, no las reconozco como mías.

– De acuerdo – añadió el policía algo conciliador –, siga usted.

– Le hablaba del reportaje de mi revista, pero no pienso utilizar ese privilegio. Ahora bien, ustedes están impidiendo con mi detención que yo acuda a una cita que tenía con el inspector Constantino Bárdenas en una comisaría de Madrid.

– ¿No se referirá usted al inspector Constantino Cárdenas?

– Cárdenas, eso es lo que he dicho – mentí.

– Lo conozco. ¿Quiere que le llame?

– Sí, por favor. Dígale que tienen ustedes «retenido» a don Manuel G. Urbina, el periodista que estaba haciendo algunas averiguaciones en relación a la muerte de Luis María Ruiz.

El inspector habló con su colega y colgó.

– Dentro de media hora lo tenemos aquí – dijo.

---

delincuente, el que comete un delito que pena la ley
tirada, número de ejemplares que se *imprimen* (= hacen) cada vez

– Estupendo – añadí yo.

Al rato entró un policía con un señor mayor que se identificó como Constantino Cárdenas. Le estreché la mano y luego nos sentamos los tres en torno a la mesa.

– Bien, usted dirá – comenzó el inspector Cárdenas mirándome con una indiferencia cortés.

– La verdad es que no tengo mucho que decir. Como usted sabe por la conversación telefónica que mantuvimos ayer, yo había investigado algo en relación con la muerte de un amigo mío. Pues bien, ayer y al término de una cena fui detenido.

– ¿Con quién cenó usted?

– Con su viuda, Carolina Orúe.

– ¿Usted no sabe por qué le detuvieron?

– Pues no, francamente.

– ¿De dónde procede este cheque al portador?

– Me lo dio la doctora Orúe.

– ¿A cambio de qué?

– De todo eso que hay sobre la mesa.

– ¿Incluidos los billetes?

– Sí.

– Veamos – dijo cambiando de tema –. ¿Ha preparado el informe que le pedí ayer por teléfono?

– Sí – mentí.

– De acuerdo, espere un momento aquí, por favor.

Los dos policías salieron al pasillo y regresaron a los diez minutos.

– Está usted libre – dijo el inspector Cárdenas –. Si me lo permite, le acompañaré a su casa a recoger ese informe. Lo leeré y hablaremos de nuevo mañana o pasado.

Me entregaron una bolsa grande de papel donde estaban todas mis pertenencias. Firmé un papel y me devolvieron el abrigo. Pregunté:

– ¿Puedo llevarme el cheque?

– Todavía no. Ya hablaremos de eso.

En la calle lucía el sol. Nos metimos en un coche y di mi dirección al conductor.

El inspector Cárdenas me dijo:

– Procure descansar. Tiene mala cara. Habrá un policía protegiéndole. Nos hemos ocupado también de proteger a su amiga Teresa, auunque ella no lo sabe y es mejor que siga sin saberlo.

– De acuerdo – respondí agradecido –. ¿Qué pasa con Carolina Orúe?

– Seguirá detenida, de momento.

– ¿Asesinó ella a su marido? – pregunté.

– Ya veremos – dijo, y llegamos.

Subimos a mi apartamento y le entregué con cierto *pudor* la novela que estaba escribiendo.

– Verá usted – dije para justificarme –, cuando empezó todo comencé a llevar un diario de los hechos, una especie de novela-homenaje a mi amigo muerto. Hay en ella cosas que no le interesarán, cuestiones y asuntos de *índole* personal, pero contiene, sin embargo, una relación ordenada de todos aquellos hechos que podrían serle útiles.

El inspector *ojeó* el *mamotreto* y sonrió por primera vez en aquella mañana y, posiblemente, en aquel año.

– No se preocupe – dijo –, en otro tiempo fui buen aficionado a las novelas policíacas. Lo leeré despacio

---

pudor, aquí con timidez (de tímido) y vergüenza

índole, carácter, tipo

ojear, mirar (de ojo)

mamotreto, libro muy grande. Aquí fig.: muchos folios

y le diré mi opinión. El *agente* que nos ha acompañado vigilará su casa. Descanse y no haga tonterías.

Se marchó, me duché y me metí en la cama. Creo que no tardé en dormirme.

Preguntas

1. ¿Cómo transcurre para Manolo el tiempo que dura su detención? ¿Puede usted decir por qué detienen a Carolina y a Manolo?

2. ¿Cómo piensa usted que es la novela que Manolo G. entrega al Comisario?

3. ¿Cree usted que Manolo es un novelista? ¿Cuáles son sus problemas como escritor? ¿Está contento con lo que hace en su lugar de trabajo?

QUINCE

Conseguí dormir hasta las cuatro de la tarde. Llamaron a la puerta y era el inspector Cárdenas a quien invité a pasar.

– Buenas tardes, ¿ha dormido usted? – preguntó.

– Unas horas – dije –. ¿Desea tomar algo? – le pregunté después de un momento.

– Un vaso de agua, por favor.

Le serví un vaso de agua, se lo bebió y me miró.

– Da usted la impresión de estar un poco nervioso.

– En realidad sí lo estoy – respondí –.

– Por lo que he leído de su informe novelado, no

---

agente, policía

parece que usted apreciara mucho a su amigo Luis María Ruiz.

– Eso es un error – respondí sentándome a su lado –. Manteníamos una relación amor-odio, pero ése es el componente normal de todas las amistades fuertes. Lo que ocurre es que yo soy capaz de confesarlo y otros no.

El inspector me miró algo pensativo y me preguntó:

– ¿Cuál es la situación de sus afectos respecto a Carolina Orúe?

– La he tratado y me parece una mujer *fascinante* por muchos motivos, aun en el caso de que haya asesinado a su marido.

– Por lo que llevo leído de su novela forman ustedes un grupo un poco raro en el que los papeles se intercambian con cierta frecuencia. Usted, por ejemplo, no parece tan *cínico* como el personaje que lleva su nombre en este informe o lo que quiera que sea.

– Bueno – respondí –, se trata de un recurso literario. Mi ambición era escribir una novela, no un retrato. ¿Lo ha leído ya todo?

– Casi todo. Pero aún no te tenido tiempo de reflexionar. Lo acabaré esta noche, y mañana, si le parece, hablaremos; ahora había venido a otra cosa.

– Usted dirá – respondí en un tono algo *sumiso*.

– Cuenta usted en algún capítulo que la segunda vez que los matones se presentaron en su apartamento descubrieron los papeles que había cogido en

---

fascinante, que *fascina* = produce gran admiración por su belleza y por su manera de ser
cínico, que obra mal sin sentir vergüenza por ello
sumiso, sin arrogancia

la casa del difunto Campuzano.

– Así es. Por cierto, me robaron una colección de monedas.

El inspector pasó por alto el tema de mi colección y continuó con el suyo:

– Pero olvidaron o no vieron un pequeño muestrario de papel que pertenecía también a Campuzano.

– Sí – dije, y me levanté a buscarlo.

Se lo di, lo observó rápidamente y se lo guardó luego en el bolsillo de la chaqueta. Después se levantó.

– Pues eso es todo, amigo – dijo a modo de conclusión –. Le espero mañana, a las once, en Comisaría. Hablaremos de su novela y, si es posible, le diré el nombre del asesino.

La acompañé hasta el ascensor algo *perplejo*. Después volví a mi agujero, cerré la puerta y puse la *cadena de seguridad*. Encendí un cigarro, me tiré en el sofá y, como si alguna *compuerta* se hubiera roto

compuerta

dentro de mí, mi pecho quedó en pocos minutos *inundado* de sospechas. El tal Constantino Cárdenas era un

---

perplejo, confuso y sin saber muy bien qué pensar
cadena de seguridad, ver ilustración en págs. 44/45
inundar, cubrir de agua. Aquí, fig.

zorro. Con la excusa del muestario, había venido a *indagar* algo acerca de mi vida.

Me levanté. Paseé por el salón, comí algo y me puse a leer.

A media tarde sonó el teléfono, pero colgaron cuando lo cogí. Telefoneé a Teresa pero colgué sin decir nada. Al anochecer me metí en la cama sin cenar.

zorro

Preguntas

1. ¿Qué visita recibe Manolo G. y cuál es el motivo de esta visita?

2. Intente analizar las diferentes visitas que recibe Manolo y señalar las causas y las consecuencias de estas visitas.

3. ¿Cuáles son los pensamientos de Manolo a esta altura del relato?

---

zorro, fig. persona muy astuta = que no se deja engañar
indagar, averiguar

DIECISÉIS

Al día siguiente me levanté muy pronto. Vi que lucía un sol *espléndido*. Mi conciencia estaba tan vacía como mi estómago.

Telefoneé a la redacción y dije que continuaría enfermo el resto de la semana. El redactor jefe se puso un poco pesado y tuve que explicarle algunas de las complicaciones más frecuentes de la gripe. Tomé un par de cafés y salí a la calle.

La sensación que tuve esa mañana es que me encontraba en una de las páginas de un cuento *troquelado* al que la *habilidad* del artesano había conseguido darle cierta animación. Supe entonces que con esta sensación me defendía del miedo inmediato a conocer el nombre del asesino de mi amigo Luis Mary.

Llegué a la comisaría antes de las once, pero Constantino Cárdenas me recibió enseguida. Me senté al otro lado de su mesa y sonreí a la espera de la *sentencia*. El inspector sacó del cajón el pequeño muestrario que le había entregado el día anterior y me lo pasó a través de la mesa.

troquel

---

espléndido, extraordinario
troquelar, hacer a *troquel*, como se hacen las monedas de metal
habilidad, cualidad de *hábil* (= que es capaz de hacer una cosa difícil)
sentencia, la *declaración* (= lo que declara) del juez al terminar el juicio

– He numerado las muestras – dijo –. Busque usted la treinta y dos. La busqué y dije:

– Ya está.

– Tóquela suavemente con la *yema* de los dedos.

La toqué del modo que me había indicado y después me dirigí a él con una mirada interrogante.

– ¿No le recuerda nada ese tacto? – preguntó.

– Sí – respondí, pero no sé el qué.

Sacó entonces el inspector su billetero y extrajo de él un billete nuevo de cinco mil pesetas. Me lo dio sonriendo. Dijo:

– Compare ahora entre el papel y el billete.

Lo hice y dije:

– Ambos papeles tienen una trama igual o muy parecida.

– Eso es – afirmó satisfecho –. ¿No le sugiere nada tal coincidencia?

– Dinero falsificado – dije.

– Correcto – respondió el inspector.

– ¿Cómo no se me ocurrió antes?

– Estaba usted *ofuscado* con el tema del delito fiscal, porque el problema no era tan difícil.

– Por eso me detuvieron al salir del restaurante, porque pagué con un billete falso.

– Efectivamente. Hace tiempo que la *brigada* que se encargaba de ese tipo de delitos andaba detrás de esa *partida*. La falsificación es casi perfecta, pero tenía un

---

yema, ver ilustración en pág. 138
ofuscado, falto de claridad en la mente para pensar
brigada, conjunto de personas destinadas a hacer un trabajo. Aquí personas de la policía
partida, cantidad (o parte) de algo. Aquí, de billetes

defecto que cualquier especialista podía detectar. Los falsificadores habían puesto en circulación trescientas mil pesetas cuando se dieron cuenta del error. Decidieron destruir el resto, las seiscientas mil, que estaban en poder de Carolina Orúe. Lo que ocurrió es que cuando la mujer fue a buscarlo, se encontró con que su marido lo había robado.

– ¿Luis Mary conocía el asunto?

– No. Imagino que lo robó por placer y porque a esas alturas ya había comenzado a sospechar que su mujer se entendía directamente con los del laboratorio.

– Explíquemelo con un poco de orden, por favor.

– De acuerdo, escuche: Carolina Orúe intuye, por alguna indiscreción de Campuzano, que en los laborarorios Basedow se está llevando a cabo algo ilegal que puede producir enormes beneficios. Coloca allí a su marido, pero sin explicarle cuál es la naturaleza de sus sospechas. Le engaña, pues, haciéndole creer que lo que van a investigar es un fraude fiscal. Su amigo, Luis Mary, que en el fondo seguramente era un *ingenuo,* obedece las órdenes de Carolina y saca papeles de donde ella se los manda sacar. Llegado a un punto sospecha que su mujer le oculta algo y decide actuar solo. Entonces coge de su propia casa la cartera donde guardan la documentación que han ido acumulando y, de paso, se encuentra con seiscientas mil pesetas que decide robar por placer o por venganza. A continuación esconde esa cartera en casa de su amiga Teresa. En ese momento los falsificadores detectan el

---

ingenuo, persona sin malicia

defecto de los billetes al que ya me he referido y le piden el dinero a Carolina para destruirlo. Pero el dinero no está en su sitio y eso les pone nerviosos. Creo, sin embargo, que consiguieron *recuperar* una parte que Campuzano trasladó de la consulta de Carolina a la Casa de Campo la tarde aquella que tan bien describe usted en los primeros capítulos de su novela. Las *precauciones* que toman en esos momentos se deben a que saben ya que Luis Mary se ha convertido en la sombra de Campuzano.

El inspector hizo una pausa algo teatral y continuó enseguida:

– Bien, entonces comienzan a pensar en el modo de *presionar* a Luis Mary para que les devuelva el dinero, pero sin que éste sospeche nada de la falsificación. Pero en esos momentos su amigo aparece colgado del *gancho* de la lámpara en el salón de su casa.

 gancho

– ¿No lo hicieron ellos? – pregunté inquieto.

– Tenga paciencia, amigo. Eso lo veremos más tarde. Ahora entra usted en el juego y los falsificadores confían en que Carolina puede manejarle a usted de manera que les entregue todo sin escándalo. Entretanto la policía ha detectado ya la falsificación y da aviso a los bancos y a los establecimientos públicos

---

recuperar, recobrar
precaución, cuidado
presionar, hacer presión sobre él

por si a alguien se le ocurriera poner en circulación un nuevo billete. Eso es lo que hace usted la noche que cena con Carolina, y por eso mismo se produce la detención de ambos.

– ¿Quién era el cerebro? – pregunté.

– En eso – respondió – demostró usted cierta intuición, porque no era otro que Menéndez Cueto. Tenía su propio laboratorio y contaba, para las pruebas, con la pequeña imprenta de la revista **Hipófisis** que dirigía Campuzano.

– ¿Por qué liquidaron a Campuzano? – pregunté con indiferencia.

– Se liquidó él solo. No pudo soportar la tensión a que estaba *sometido,* sobre todo después de la muerte de Luis Mary, que él relacionó equivocadamente con el asunto de la falsificación. Podía aceptar ser cómplice en una estafa, pero nunca de un crimen.

Pasé por alto esta última observación, pues a esas alturas ya había advertido que el inspector me reservaba una sorpresa final, y pregunté:

– ¿Y Carolina?

– Carolina era una buena cómplice, y por eso no les importó negociar con ella. Sabía manejar a la gente y era la persona indicada para distribuir *adecuadamente* las partidas de dinero falsificado. Además se trataba de una mujer prudente a juzgar por la decisión de dejar fuera de todo a su marido, que sin duda era un *insensato.*

---

estar sometido a, estar obligado a aguantar
adecuadamente, de forma *adecuada* (= como debe hacerse)
insensato, persona de poco juicio

El inspector se calló en este punto y yo encendí un cigarro. Ahora me tocaba hablar a mí, pero temí preguntar lo que él esperaba: ¿Quién había matado a Luis Mary? Giré el cuello y vi el sol, que penetraba por una ventana con *barrotes.* Finalmente conseguí decir:

– Mi actividad ha servido para cazar a un grupo de falsificadores. ¿Y mi novela? ¿Ha sido útil para localizar al asesino de Luis Mary?

El inspector me miró como si se encontrara muy alejado de mí y del mundo en general. Después abrió el cajón y sacó de él los folios *mecanografiados.* Los echó sobre la mesa y dijo:

– Esto es *papel mojado,* amigo, letra muerta, y más vale que sea así, pues, de tener alguna utilidad, ésta no sería otra que la de llevarle a usted a la cárcel.

– ¿Y eso? – pregunté algo pálido ya, aunque con cierto tono indiferente.

– Bien – respondió con cansancio –, usted necesitaba que su amigo muriera, no ya para escribir una novela, sino para ser alguien simplemente. Esa idea está presente a lo largo de todo el relato. Sin embargo, el azar le hizo un favor gracias al cual descubrió que, si su amigo moría, ni siquiera necesitaría escribir esa novela, porque ya estaba escrita. Se lo diré de otro modo: esta novela en la que usted y yo hablamos ahora fue escrita por su amigo Luis María Ruiz.

Se calló unos segundos para observar en mi rostro

---

mecanografiado, escrito a máquina
papel mojado, fig. documento que por alguna causa ha perdido su valor y al que no se le da valor legal (= ante la ley)

barrote

el efecto *devastador* de sus palabras. Enseguida continuó:

– Es mentira que no volvieran a verse después de aquella tarde que pasaron juntos en el teleférico, detrás de Campuzano. Su amigo le llamó a los pocos días y se encontraron en la buhardilla que éste tenía en la calle de La Palma. Hablaron de los tiempos pasados, quizá también de las ambiciones adolescentes no realizadas, y entonces Luis María le enseñó esta novela en la que al final nos encontramos usted y yo en una comisaría de Madrid. Por uno de esos juegos a los que sin duda era muy aficionado la había escrito en primera persona utilizando el nombre de usted y

---

devastador, que destruye

colocándose a sí mismo en el papel del muerto. Usted leyó el relato y le gustó, llegó a creer incluso que era suyo, pero había un testigo. *Eliminó* pues, al testigo, al verdadero escritor, y cambió la firma. Le dije el otro día que en tiempos fui un buen aficionado al género policíaco y por lo tanto sé que, cuando un autor conoce el final, no puede evitar contarlo en el *transcurso* de la acción. Luis María sabía ese final y no deja de lanzar señales que lo explican. ¿Acaso no recuerda un capítulo en el que Carolina y usted están en la buhardilla de su amigo cuando ésta descubre un papel en el que hay una idea para una novela? Para esta novela precisamente. Por eso se encarga usted de destruir esa prueba. Teresa dice en otra ocasión, no sé en qué capítulo, que Luis María había escrito o estaba escribiendo una novela en la que sacaba a todos los amigos. Y, en fin, ¿no recuerda las preguntas que hace usted a todo el mundo sobre si el muerto ha dejado algún manuscrito? Temía que hubiera una copia fuera de su control que pudiera delatarle.

El inspector puso las manos sobre la mesa con un gesto que quería decir que la función había terminado. Yo pregunté al fin:

– ¿Por qué no me detiene, pues?

– Porque no vale la pena, amigo – respondió. Mi carrera profesional termina con este capítulo. Recibirá usted un castigo peor que la cárcel: ser un mal detective *de ficción*.

Encendí otro cigarro y advertí que tenía ganas de

---

eliminar, hacer desaparecer
transcurso, mientras pasa o sucede la acción
de ficción, no real; aquí novelesco o de novela

llorar. El comisario se levantó y sacó de un bolsillo el cheque de dos millones que me había dado Carolina.

– Ahora, váyase – dijo.

Cogí el cheque, me levanté y me fui.

◆ ◆ ◆

En la calle me acometió una sensación de irrealidad insoportable. La vida continuaba troquelada, aunque móvil, y yo era un personaje de ficción en busca de algo *espeso* en lo que *fundirme*. Tomé un taxi y me marché a casa de Teresa. Me recibió un poco *borracha* a pesar de la hora. Nos sentamos uno junto a otro en el sofá y le conté el fin de la historia. Al rato me preguntó:

– ¿Estás triste por Carolina?

– Sí – dije –. Tú continuas siendo el amor de mi vida, a pesar de que representas ese espacio en el que todo se *trascendentaliza*. Pero Carolina es dueña de otro lugar distinto y maravilloso en el que todo se *frivoliza* porque todo en él es superficial. La esperaré.

– ¿Y qué harás entretanto?

– No sé. Tal vez sea capaz de escribir otra novela distinta a ésta que para nosotros escribió Luis Mary.

– El autor de cualquier novela que escribas – dijo – será inevitablemente Luis Mary.

– Sí – respondí tristemente y sentí que se acababa el tiempo, aunque no sabría decir de qué tiempo se tra-

---

espeso, con espesor; algo no troquelado

fundirse, aquí unirse a algo con cuerpo para tener realidad

borracho, estado de la persona que ha bebido mucho

trascendentalizarse, hacerse trascendente o *trascendental* = adquirir gran importancia. En la filosofía de Kant (1724-1804) pasar los límites de la experiencia sensible

frivolizarse, que se hace frívolo y superficial

taba. Entonces saqué el cheque de dos millones y se lo di.

– Toma, he conseguido esto para ti.

Lo miró largamente, con cierto gesto de *avaricia*. Luego preguntó:

– ¿No anularán la orden de pago?

– No tendría sentido. Somos seres imaginarios con un talón imaginario entre las manos.

Entonces se acercó, me dio un beso imaginario y yo sentí una *reminiscencia* de otra vida, un sonido de pájaro que atravesó años luz de odio y enloquecido penetró en mi cuerpo y a golpes recorrió sus zonas *huecas*. Ese sonido era el mismo que me había conducido a la casa, al ascensor, a la puerta del crimen.

Preguntas

1. ¿Por qué teme Manolo conocer el nombre del asesino de Luis Mary?

2. ¿Qué sucede en la comisaría y cuáles son los puntos importantes de la conversación entre el Comisario y Manolo?

3. ¿Quién ha sido el asesino de Luis Mary? Formule las circunstancias y las causas.

4. ¿Cuál es el destino del asesino?

---

avaricia deseo de poseer riqueza
reminiscencia, acción de recordar una situación o un hecho ya pasados
huecas, las partes del cuerpo no ocupadas por órganos

Preguntas. General.

1. ¿Le ha interesado la novela?

2. Comente:
   1) el carácter de cada uno de los personajes.
   2) sus actividades y ritmos de vida.

   Describa:
   1) los diferentes medios sociales en que se mueven los diversos personajes.
   2) las reacciones de cada uno de los personajes con los de su entorno.

   Analice:
   1) el problema de Manolo
   a) en relación consigo mismo.
   b) en relación con la mujer en general y con Teresa y Carolina en particular.
   c) el obrar de Manolo y cuál será su destino.

3. Si le interesa el género policíaco
   Comente:
   1) si cumple Manolo las características exigibles a un detective.
   2) si la novela tiene los rasgos necesarios para hacer de ella una novela policíaca

4. Reconstruya el calendario de Manolo desde el día del entierro de Luis Mary hasta el día en que oye por boca del comisario quién fue el asesino.

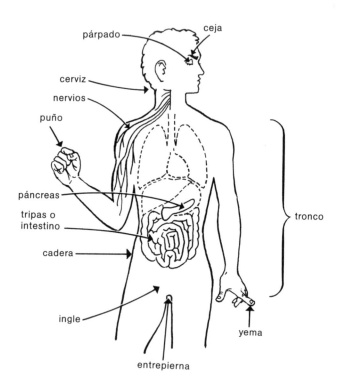

párpado

ceja

cerviz

nervios

puño

páncreas

tripas o
intestino

cadera

ingle

tronco

yema

entrepierna

138